プロが教える ジュニア選手の「勝負食」

新装改訂版

10代から始める 勝つ！カラダづくり

スポーツ栄養アドバイザー
石川三知
監修

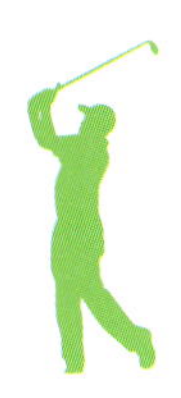

メイツ出版

私は今まで、さまざまな競技のスポーツ選手を食事と栄養面からサポートをする機会に恵まれてきました。今も、オリンピック出場やメダル獲得、高校・大学でのタイトルを狙う選手達とともに日々を過ごしています。その中で、たくさんの気づきがあり、選手達から学ぶことが多くあります。まず、印象的なのは、トップ選手たちこそ、基本的なことをとてもていねいに継続しているということです。日々の練習はもちろん、生活態度、そして毎日の食事も同様です。

次に、多くのトップを目指す選手を近くで見てきて、彼らが、疲れにくい、そしてけがや故障のしにくい体だったら、もっと能力を発揮できたのにと思うことです。残念ながら、大人になってから（トップレベルに近くなってから）では、体づくりが間に合わないことがあります。皆さんもご存知の通り、私たちの体は約37兆個の細胞でできています。そして、いつも体のどこかで細胞は入れ替わっています。その細胞の材料となるのが「食事からとり入れる栄養」なのです。その食事が、最も大切になる時期が今の皆さんの「ジュニア世代」。成長著しい時期に、強く、長く選手として活躍するための基本の体づくりが行われるからです。しっかりと体づくりの材料を揃えることができたら、必ず37兆個の細胞一つひとつが、力強く元気なものになります。

この本では、選手として知っていてほしい、体と食事（栄養）の関係を基本に、トレーニングの内容や時期に合わせた食事の考え方をまとめました。練習内容を理解してから練習を始めるのと同様に、ただ食べるだけではなく、食事も体づくりの方法の一つとして理解してほしいと思います。

そして、おいしく、楽しく、この先につくられる自分の体にワクワクとした期待を持ちながら、選手としての食事に取り組んでみてください。

スポーツ栄養アドバイザー　**石川三知**

Contents

プロが教える ジュニア選手の「勝負食」

新装改訂版

10代から始める 勝つ！カラダづくり

Part 7 試合に合わせて体をつくる

Part 8 スポーツのための栄養Q&A

・本書は2014年発行の『10代から始める勝つ！ カラダづくりジュニア選手の「勝負食」プロが教えるスポーツ栄養コツのコツ』を元に加筆・修正し、書名・装丁を変更し新たに発行したものです。
・本書内の数値目標等は、厚生労働省「日本人の食事摂取基準（2020年版）」を元にしています。

Part 1

スポーツ選手の体のしくみ

スポーツ選手にとって食事は
練習と同じくらい重要です。
成長期のジュニアアスリートたちの
体と栄養の関係を理解しましょう。

成長期に必要な栄養は？

運動の分＋成長の分の栄養をとろう

重要度 ★★★☆☆

スポーツにふさわしい体づくりには、小学生から高校生にあたる成長期に正しく栄養をとることが大切です。身長の伸びには個人差もありますが、重要なのは十分な食事量と偏りのない栄養摂取です。炭水化物、脂質、たんぱく質、ミネラル、ビタミンの5大栄養素すべての摂取を考えた食事を工夫しましょう。主食の炭水化物は特にしっかりとります。**スポーツをしているジュニアアスリートは成長にプラスして運動の分、成人よりも多くのエネルギーが必要**です。

中学生から高校生になると、家庭以外で食事する機会も増えてくるでしょう。体と栄養についての正しい知識を知り、アスリートにとって適切な食事を選ぶ力を身につけましょう。

栄養の基本

ジュニアスポーツ選手はたくさんの栄養が必要

運動量の多いスポーツ選手は、より多くの栄養が必要です。特に、成長期にあるジュニアスポーツ選手の場合、成長に必要なエネルギーをとらなければなりません。

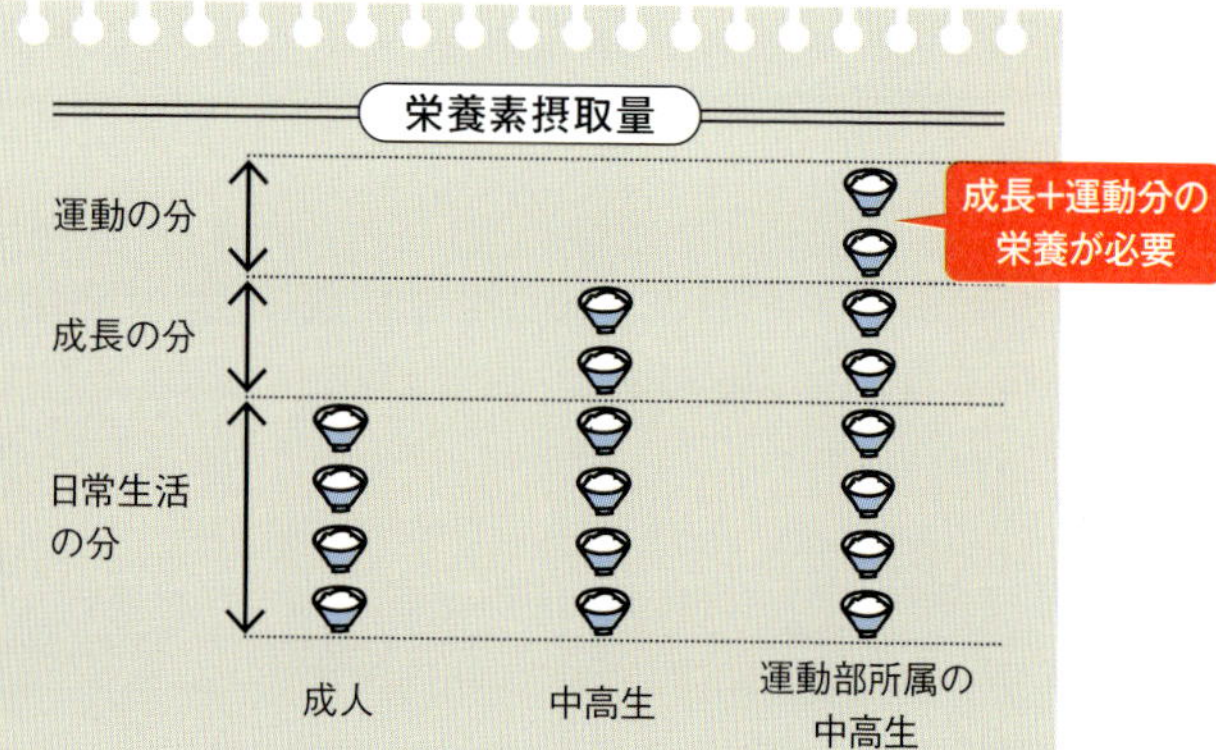

年代ごとの食事の特徴を知ろう！

幼児期からシニアまで、必要な栄養は異なります。
食事のとり方が変化することをよく理解しておきましょう。

幼児期
（食習慣の形成期）

心身の発達が著しい時期。食べ物の消化・吸収能力は成長過程にあるので、正しい食習慣を身につけるために家庭での「食育」が重要。

↓

小・中学生
（成長期）

運動量が増え、食欲も旺盛になってくる時期。栄養の偏りや食事量の不足が成長を妨げることもあるので、好き嫌いなく食べられる食習慣が大切。

↓

高校生・大学生
（自立期）

家庭以外での食事の機会が増える時期。外食やコンビニで栄養のバランスを考えた食事を選べるように、正しい知識を身につけることが肝心。

↓

成人・シニア
（新しい食習慣の形成）

代謝が落ちて、成長に伴う栄養量が必要なくなる時期。食事内容に気を配り、規則正しく食べること、健康維持への意識が必要。

まとめ

- 成長と運動の分、成人よりエネルギーが必要

02

食べ物が栄養になるまで

食べ物の栄養分は小腸と大腸で吸収される

重要度 ★★★☆☆

ゴクンと飲み込んだだけでは、食べ物は体の材料として使われません。食べた物が消化され、その後に吸収されてはじめて、体作りの材料として使える（役立つように）なるのです。

歯で噛みくだかれた食べ物は唾液と混じりあって食道へ進み、胃へ送られます。胃は消化液で食べ物を分解し、小腸へ送ります。食べ物は小腸で消化酵素によってさらに細かく分解され、栄養素と水になります。栄養素と水は小腸のヒダヒダ（絨毛）から吸収され、血管やリンパ管を通って体の各部に運ばれます。吸収されなかったものは大腸に運ばれ、排泄物として肛門から外に出されます。食べ物がただ通り過ぎてしまわないように、吸収力を高めることが大切です。

カラダのしくみ

肝臓は、吸収された栄養を体内で利用できるようにする重要な器官

胃や腸で吸収された栄養は、いったん肝臓に送られ、いろいろな成分に加工されて、動脈を通して体の必要な場所に配られていきます。いわば肝臓は栄養分配の司令塔。その肝臓の働きを支えるのが、十分な栄養と睡眠です。

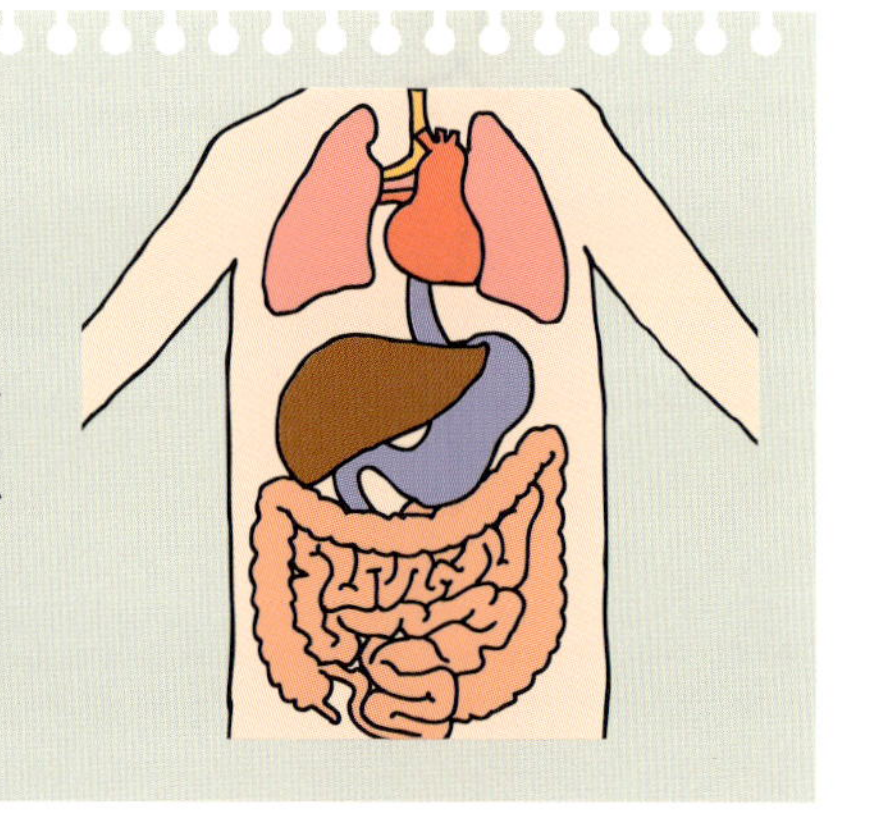

口から入った食べ物がたどる道

食べ物が体の中でどんな器官をたどり、
どのように消化吸収されるのかを知っておきましょう。

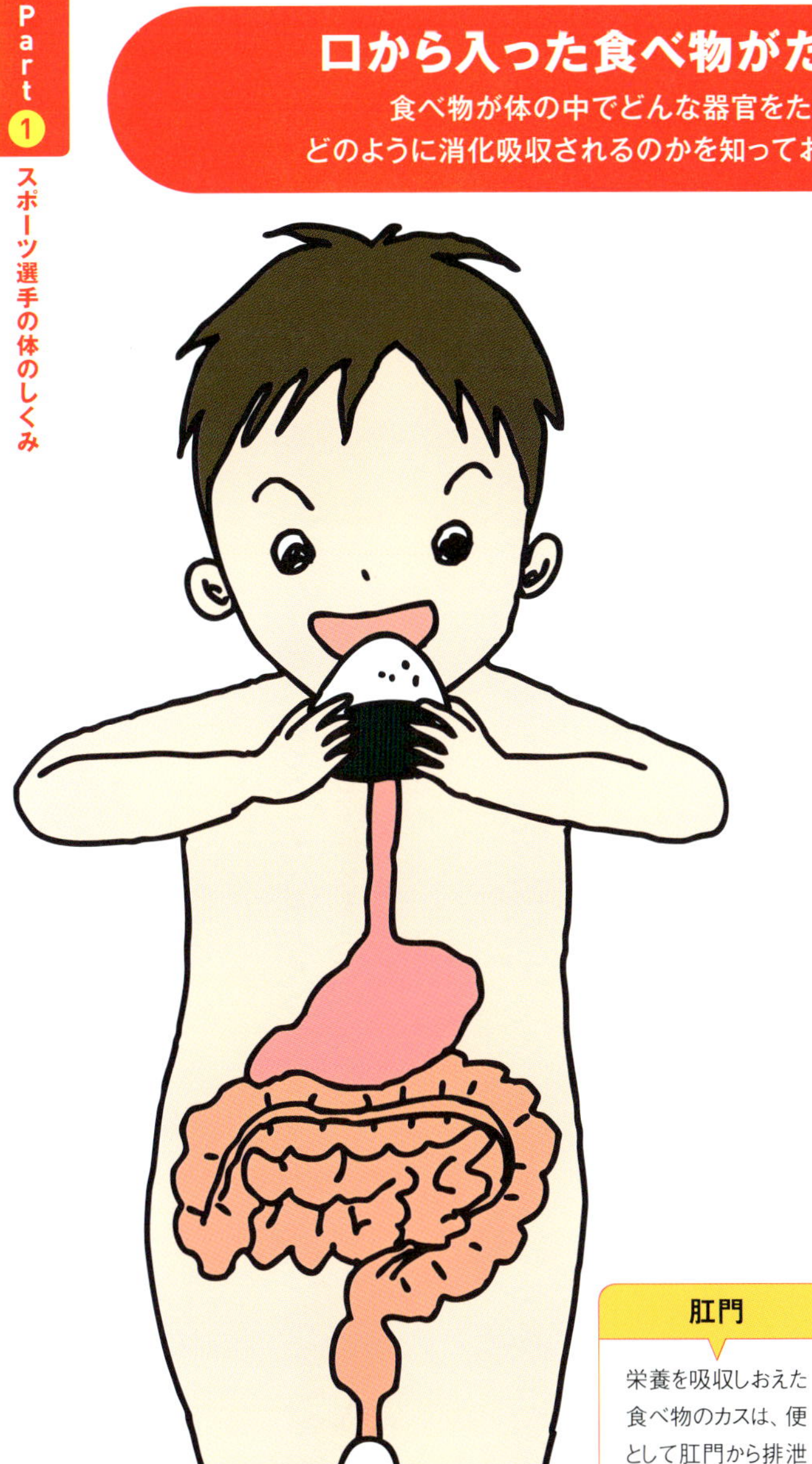

口

口から入ったごはんや肉、魚、野菜などの食べ物は、歯で細かくくだかれます。

胃

くだかれた食べ物は、食道を経て胃に送られます。胃の消化液によって、食べ物はドロドロに分解されます。

小腸

食べ物が小腸へ送られると、栄養素を吸収しやすくするための消化酵素が分泌されます。同時に、栄養と水分が吸収されます。

大腸

小腸である程度栄養が吸収されると、次に大腸に送られて、栄養や水分の吸収が進みます。

肛門

栄養を吸収しおえた食べ物のカスは、便として肛門から排泄されます。

まとめ

- 消化器官がしっかり働いてはじめて栄養が吸収される

よく噛んで食べると何がいい？

噛むことが体づくりの第一歩

重要度 ★★★★☆

食べ物が消化されるまでにかかる時間は、その種類によります。果物が最も早く1〜2時間、ご飯やパン類、野菜が2〜3時間、ステーキ類は4時間以上です。試合前にはバナナやおにぎりがいいといわれるのはこのためで、炭水化物は吸収されてすぐにエネルギーに変わります。

噛めば噛むほどいいのは、**噛むことで消化器官のスイッチが入り、消化の準備を始める**ため。また、食べ物が細かくくだかれるとともに唾液がたくさん出るため、消化されやすい状態になります。消化にかかる時間を考えて試合や就寝の2時間前に食事をするのはもちろん、よく噛むことを習慣づけて、内臓に負担をかけず、効率よく栄養を摂取することを心がけましょう。

OnePoint

噛みごたえのある食べ物をとろう！

よく噛む習慣を身につけるためには、噛みごたえのある食べ物を食事やおやつで積極的にとるようにするとよいでしょう。自然と噛む回数が増えます。

噛みごたえのある食べ物

フランスパン、ビーフステーキ、キャベツの千切り、リンゴ、ピーナッツ、にぼし、ガムなど

よく噛むと体にいいことがいっぱい！

よく噛んで食べることは、消化にいいだけでなく、
健康につながるさまざまな効果があります。

1 肥満の予防

ゆっくりよく噛んで食べると、満腹感が得られるため、食べ過ぎを防ぐことができます。選手の体重管理に役立ちます。

2 味覚の発達

食べ物の形や硬さを感じることができるため、食べ物の味がよくわかるようになり、しっかり食事がとれるため、体力づくりに役立ちます。

3 言葉の発達

口のまわりの筋肉を使うことであごが発達し、言葉の発音がきれいになったり、コミュニケーション力が向上します。

4 脳の発達

頭部に流れる血液の量が増えるため、脳の血液の量が増えて、脳の働きが促され、集中力の向上に役立ちます。

5 歯の病気を予防

力を出すときに奥歯を噛みしめるので虫歯は禁物。唾液には食べ物のカスや細菌を洗い流す働きがあり、虫歯の予防につながります。

6 胃腸の活性化

食べ物をよく噛み砕いてから飲み込むことで、消化の働きを助け、胃腸の負担が軽くなり、消化・吸収を効率的に行うことができます。

あまり噛まずに早喰いをする

よく噛まないで飲み込むと、消化が遅くなり胃腸にも負担がかかって栄養の吸収率がダウン！

まとめ

- よく噛むことで食べ物を消化するスイッチが入る

なぜ食事が重要?

筋肉・骨・血は食べ物から作られる

重要度 ★★★☆☆

人間の体は、「食べる・動く・寝る」ことでつくられます。食べ物から得た栄養素が体の各部にいきわたって筋肉や骨、血液をつくるのです。また、神経が正しく働くためにも栄養が必要です。スポーツは体が第一で、よい体が基礎にあるからこそ技術と精神力が高まり、技術の向上などの結果につながります。

そこで考えなければいけないのは、スポーツするジュニアアスリートには体の成長のための栄養だけでなく、運動をするための栄養も必要不可欠だということです。毎日十分に食事をとっているつもりでも、栄養のバランスが悪かったり、必要な栄養素の量が足りなかったりした場合には、運動のために消費されてしまい、基礎となる体づくりのための栄養が不足しかねないのです。

カラダのしくみ

技術の向上にも栄養が必要です

食事では、体の材料となる栄養素をたくさんとる必要があります。特に、骨や皮膚、筋肉の材料となるたんぱく質とカルシウム、神経の働きにはビタミンB群を積極的にとるようにしましょう。

筋肉
主に
たんぱく質

神経
主に
ビタミンB群

骨
主に
カルシウム

血液
主に
鉄分など

「体・技・心」が競技結果に影響する

まずは基礎部分となる体をしっかりつくること。
きちんと食事をとり、十分な睡眠で体を休めることが欠かせません。

食事と睡眠をおろそかにする

夜ふかしなどの悪い生活習慣があっては、よい結果は望めません。朝食抜きでの練習はもってのほか。ケガにもつながりかねません。

競技結果の向上

結果

心
（メンタルの強さ）

技
（練習）

栄養（食事）　体　休養（睡眠）

まとめ

- まずは基礎となる体づくりが大切
- 栄養バランスのよい食事が、技術やメンタルの向上の基

スポーツ選手の食事のとり方は？

スポーツで使われる栄養をしっかり補給しよう

重要度 ★★★☆☆

運動をすると、体はダメージを受けます。激しい動きによるエネルギーの消費、筋肉や血液へのダメージ、汗と一緒に排出されるミネラルなど、スポーツをするとたくさんの栄養素が使われます。

しかし、このように刺激を受けることで体は修復と成長をくり返して鍛えられていきます。ジュニアアスリートは、その分のエネルギーに加えて体の成長のための栄養をとる必要があります。

多くの指導者が「たくさん食べろ」と教える理由は、たくさん食べることで、それらに含まれるさまざまな栄養素を体に取り入れることができるからです。**量だけでなく、いろいろな種類の主食、おかず、野菜、果物、乳製品などを食べること**が大切です。

キ 栄養の基本

成長期のスポーツ選手が心がけたい食事法

- 5大栄養素をまんべんなくとる。
- 朝食抜きは絶対にNG。
- 骨を丈夫にするカルシウムは必須。
- 不足しがちな鉄分を意識してとる。

スポーツで使われる栄養

運動することによって使われた栄養を食事で補給しましょう。
いろんな種類の栄養をたくさん食べることがポイントです。

大量のエネルギーを消費

走ったり、泳いだり、投げたり、蹴ったりと、スポーツでは激しく体を使います。その分、多くのエネルギーが消費してしまいます。

筋肉へのダメージ

スポーツをすることで体にさまざまな刺激が加えられて、筋肉などの組織がダメージを受けます。

鉄を消費（消耗）

筋肉の発達に鉄が使われたり、ジャンプなどの衝撃によって血液（赤血球）が壊れることにより、消耗します。

汗による水分とミネラルの損失

運動をして汗をかくと、汗（水分）とともに体の中のミネラルも失われてしまいます。ミネラルには体をつくったり、体の調子を整える役割があります。

使われた分の栄養を補給することが大切！

⇨ P50、P54、P58、P60、P108参照

まとめ

- 失われた栄養を補給するには、いろいろな食材をとる

女子選手が気をつけることは?

男女の体の違いを把握することが大切

重要度 ★★★★☆

女子選手と男子選手では、成長のタイミングに差が生じ、体つきの変化も異なります。

標準的な体型の女性選手であれば、**一般的な男性選手が必要とするエネルギー量の80%程度を目安**に摂取します。必要な栄養素もそれに準じて少なめになりますが、例外となる栄養素が鉄分です。女性の場合、月経によって鉄の損失が増えるからです。

また、第二次性徴に伴い体脂肪が増えるため、体脂肪率を男性並みに落とそうとするのは危険です。女性ホルモンの分泌を損ない、疲労骨折や月経異常の原因となります。成長により骨や筋肉が増え、その結果、体重が増えることもあるため、数値だけで判断しないことが大切です。

OnePoint

女子スポーツ選手に必要なエネルギーは男子の8割

食事の際に、男子選手と女子選手とでは、男女の性差を考慮することが大切です。鉄分を例外として、女子選手は、男子の80%を目安に栄養を摂取しましょう。

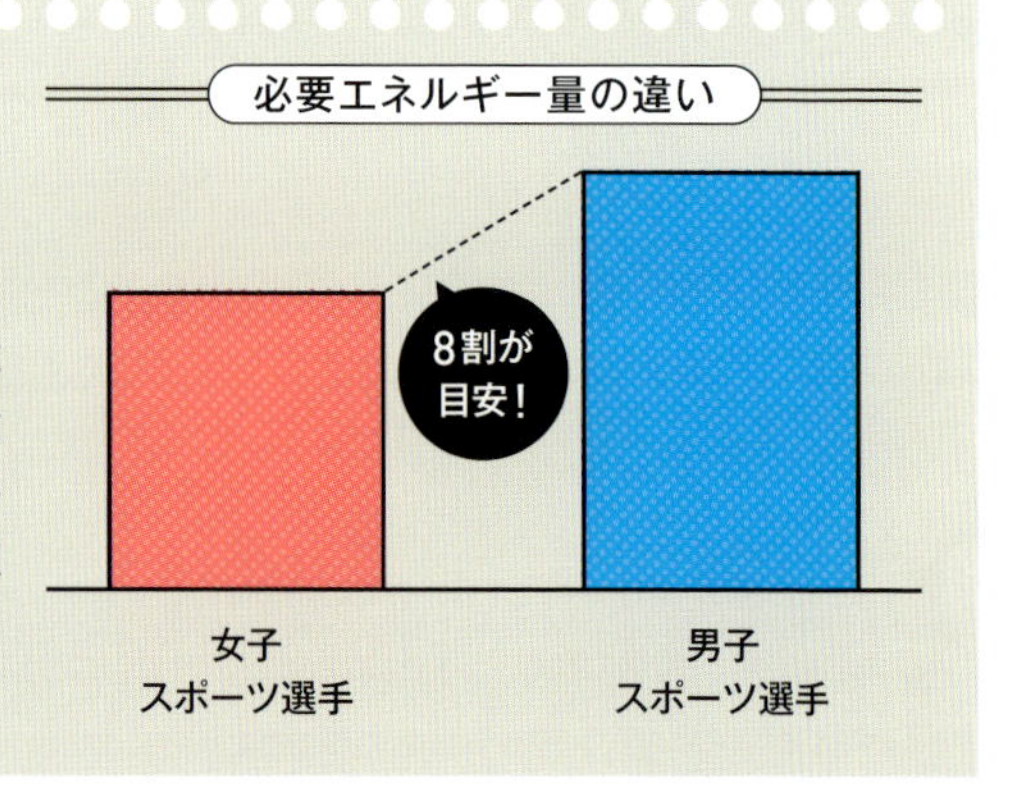

女子選手が注意したい4つのこと

女子選手は、女性ならではの注意点があります。
食事面だけではなく、体やメンタル面にも気を配りましょう。

過度なダイエット

女性が減量をして男性並みの体脂肪率に落とそうとすると、拒食症や過食症などの摂食障害を引き起こす原因となるほか、月経異常をきたす危険が高まります。過度なダイエットは成長を妨げることになりかねないので、注意が必要です。

貧血

女性はもともと、月経により鉄分が失われやすく、貧血になりやすいとされています。特に、女子選手の場合は、運動によって血液中の赤血球が壊れたり、鉄分が汗といっしょに失われてしまいがちです。食事に気を配り、場合によってはサプリメントの服用も検討してください。

メンタル面

選手は、指導者の言葉に大きな影響を受ける事が多く、何気ない言葉がストレスとなって、心身のコンディションに影響することもあります。特にジュニアの女子選手は、その傾向が見られるので、指導者や保護者が注意して見守る必要があります。

月経異常

激しいトレーニングを続けていると、体には大きな負担がかかり、その結果、ホルモンバランスが乱れて生理不順になったり、ときには生理が止まってしまったりすることもあります。月経異常は疲労骨折の原因にもなるので、生理周期が乱れたときは、医師の指導を受けるようにするといいでしょう。

- 鉄分不足と無理なダイエットは骨折と月経異常の原因に

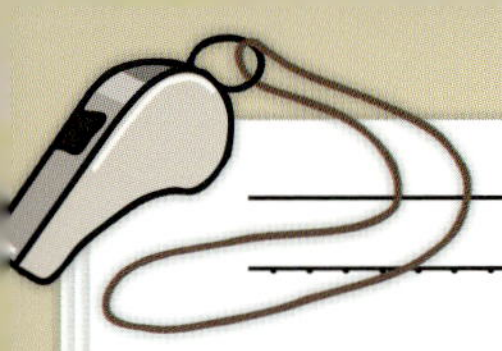
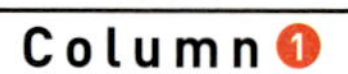

Column ❶

楽しく、好き嫌いをなくす 家庭での食育の大切さ

まず、「嫌い」と「食べられない」とは意味が違うということを理解しましょう。量が多かったり、辛いなどの刺激、油分が強かったりすると、その食事のことを覚えていて次の食事を拒否する場合が少なくありません。

大人の舌とは違うことを意識して、様子を見ながら食材を選び、細かく刻むなど、調理法や味つけを探してみるといいでしょう。量も少なめから始めてください。

無理強いは禁物です。家族みんなでおいしそうに、「おいしい」という言葉をしっかり口に出して食事をするようにしましょう。そのためには、まず親自身が好き嫌いをなくすことも必要です。どうしても食べられない場合には、その栄養素をほかの食材で補うこともできるのだからという余裕を持つことが大切です。嫌いなものを食べることができたときは、しっかり褒めてあげることも大切です。

家庭での食育のポイント

子どもの「食育」	● 楽しく食べる ● 食事ができるまでのプロセスを知る ● 食事が体に及ぼす影響を正しく知る
大人の「食育」	● 食材の選び方を知る ● メニューの組み立て方を知る ● おいしく食べる調理法を知る ● 食に関する正しい情報を得る

Part 2

トレーニングに合わせた栄養が必要

競技で力を発揮するには、
筋力・持久力・瞬発力が欠かせません。
それらを鍛えるためのトレーニングに
必要な栄養を知っておきましょう。

競技によって食べる量は違う？

最大5000kcal以上が必要な競技もある

重要度 ★★★★☆

厚生労働省発表の摂取基準は一般的な成人で一日あたり男性が2650kcal、女性が2000kcalです。これを運動レベル別で見たとき、場合によっては一般成人の2倍のカロリーが必要だということがわかります。

特に注意したいのは朝食です。朝食を食べない、食べても量が少ないという人も多くいますが、スポーツをするなら朝食は必須。ごはん・みそ汁・めざし・納豆といった日本のごく一般的な朝食は500kcal前後です。ジュニアたちは少なくとも1000kcalはとる必要があります。

トレーニングの内容によって、主に必要とされる栄養素に違いがあります。摂取量とともに、食材の選択も大切です。

OnePoint

1食1000kcal前後を目標にしよう

競技にもよりますが、スポーツ選手の食事量は、1食あたり1000kcal以上が目安。「そんなにたくさん食べられない！」という人は、補食で不足分を上手に補うようにするとよいでしょう。

1000kcalの朝食の例

- ごはん
- 油揚げとじゃがいものみそ汁
- 鮭の塩焼き
- 豆腐のサラダ
- バナナ
- オレンジジュース
- 牛乳

競技別の1日の必要カロリーの目安

スポーツ選手が1日に必要なカロリーを競技別に紹介。
成長期にあるジュニアアスリートは、さらに多くのカロリーが必要です。

スポーツをしない人（1800~2200kcal）と比較すると…

必要カロリーは 約1.4倍 2500~3000kcal	体操、卓球、バドミントン、フェンシング、ヨット、スキージャンプ、水泳飛び込み
必要カロリーは 約1.6倍 3000~3500kcal	陸上（短・中距離、跳躍）、野球、テニス、バレーボール、ボクシング（軽・中量）
必要カロリーは 約1.9倍 3500~4000kcal	サッカー、バスケットボール、陸上（長距離）
必要カロリーは 約2.1倍 4000~4500kcal	マラソン、陸上（投てき）、ラグビー、アメリカンフットボール、水泳、レスリング（軽量）、ボクシング（重量）
必要カロリーは 約2.4倍 4500~5000kcal	柔道（重量）、相撲、レスリング（中・重量）、ボート、スキー

※上記は成人の必要カロリー量。女子選手は、上記の8割が目安。

まとめ

- プレーする競技に合った必要カロリーを把握しよう

どうすれば強くなれる？

筋肉・骨・エネルギー・神経の4つを強化しよう

重要度 ★★★☆☆

筋肉は収縮することで強い力を発揮します。運動をすると筋肉はダメージを受け、回復する際には以前より強くなろうとする働きがあります。筋肉は水分を除くと約80％がたんぱく質でできています。筋肉を修復するには、普段の食事から、十分なたんぱく質が摂取されていることが大切です。

骨は体を支えて内臓を守るとともに、カルシウムを貯蔵する役割も持っています。**たんぱく質とカルシウムとビタミンCを十分に摂取して強い骨を育てる**ことが大切です。

血液は体全体に酸素や栄養素を運びます。不足すると貧血やスタミナ低下を招きます。たんぱく質と鉄が主成分で、特に鉄は不足しがちなので、意識してとるようにしましょう。

OnePoint

心＝メンタルはくり返すことで鍛えられる

強くなるためには、心の強さも重要な要素です。メンタルを鍛えるには、問題意識と目標を持ち、練習や試合などで実践し、その結果を検証することをくり返すことが大切です。

1 問題意識と**目標**を持つ

▼

2 試合や練習で**実践**する

▼

3 達成度合いを**検証**する

くり返すことで鍛えられる

スポーツ選手に必要な要素

スポーツ選手にとって、体づくりは大切な要素です。
体を強化して競技結果を向上させる秘訣を学びましょう。

筋肉

収縮することで動くために必要な「筋力」を生み出します。この筋力を高めることにより、大きなパワーを発揮できるようになります。また、骨格筋は運動するために必要なエネルギーの貯蔵庫でもあります。

骨

骨には、体を支え、臓器や脳などを守り、カルシウムを蓄える役目も担っています。成長期の中高生は、骨も大きく成長する時期です。ケガや故障を防ぐためにも、丈夫な骨を育てることが大切です。

エネルギー

体を動かすためにはエネルギーが必要です。私たちは、体を動かすためのエネルギーのすべてを食べ物から摂取しています。スポーツでは、エネルギー摂取のタイミングが、競技結果に大きな栄養を与えます。

神経

競技では、瞬時に判断して素早く正しく動ける力が必要。その役割を担っているのが神経です。脳や脊髄（せきずい）などの中枢神経をはじめ、体中に張りめぐらされた末梢神経もまた正しく機能するためには栄養が必要です。

まとめ

● 筋力やスタミナのほか、技術の向上にも栄養が必要

09

骨、腱、筋肉の関係は?

カルシウムとたんぱく質で骨まわりを強くしよう

重要度 ★★★☆☆

骨は、繊維状のたんぱく質であるコラーゲンが骨の枠を作り、そこにカルシウムなどが付着することでできています。いわばコラーゲン線維はビルの鉄筋のようなもの。カルシウムはコンクリートにあたります。同じくコラーゲンを主成分とする腱(けん)や軟骨、靭帯(じんたい)では骨と骨が連結され、筋肉もまた連結されています。

皮膚や血液と同様、骨も毎日入れ替わっています。破骨細胞によって骨が壊され、骨芽細胞によって新しく作られています。この働きによって小さな骨なら約90日、全身の骨でも約3年ですべて新しい骨に入れ替わります。新しい骨を強く丈夫なものにするためにもカルシウムとコラーゲンを作るたんぱく質とビタミンCを十分にとりましょう。

OnePoint

骨と筋肉をつなぐ腱の役割を理解する

骨についている筋肉のことを「骨格筋」といい、骨格筋は「腱」によって骨とつながっています。腱の主成分はコラーゲン。筋肉と骨をスムーズに動かすためにも、腱の栄養となるたんぱく質を十分にとりましょう。

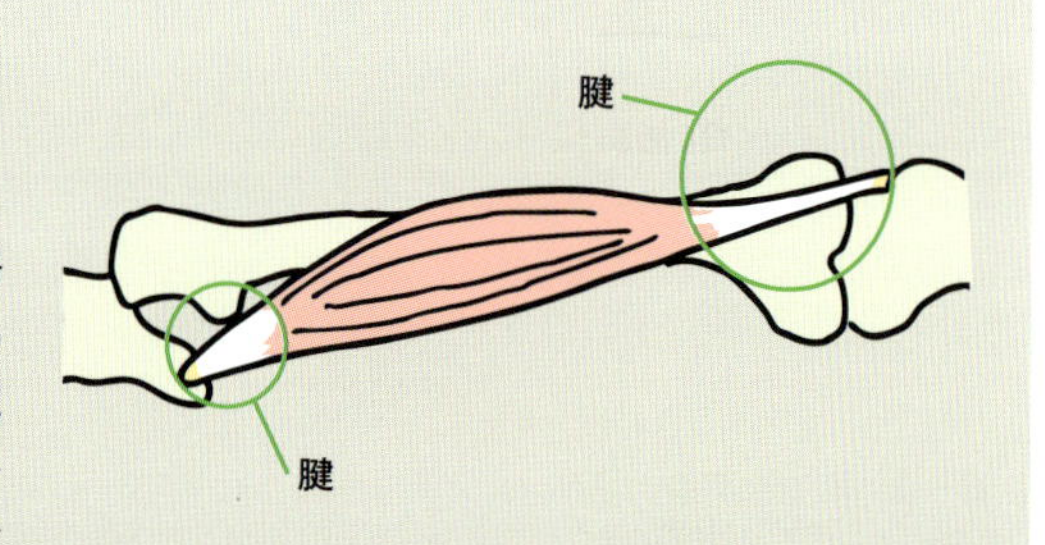

筋肉は、腱によって骨とつながっています。

骨と筋肉の主な材料

体を支えて内臓を守る骨と、体を動かす筋肉は、スポーツ選手の土台。

普段から、強化を心がけて生活しましょう。

骨の主成分は、カルシウムとコラーゲン。

骨

カルシウムとともに たんぱく質も欠かせない

骨の主な材料は、カルシウムとコラーゲンです。コラーゲンとは、骨を構成するたんぱく質のひとつ。建物にたとえると、コラーゲン線維が鉄筋部分にあたり、そこにカルシウムが付着して骨が作られています。つまり、カルシウムだけでなく、たんぱく質とビタミンCもたっぷりとることが大切です。

⇨P124参照

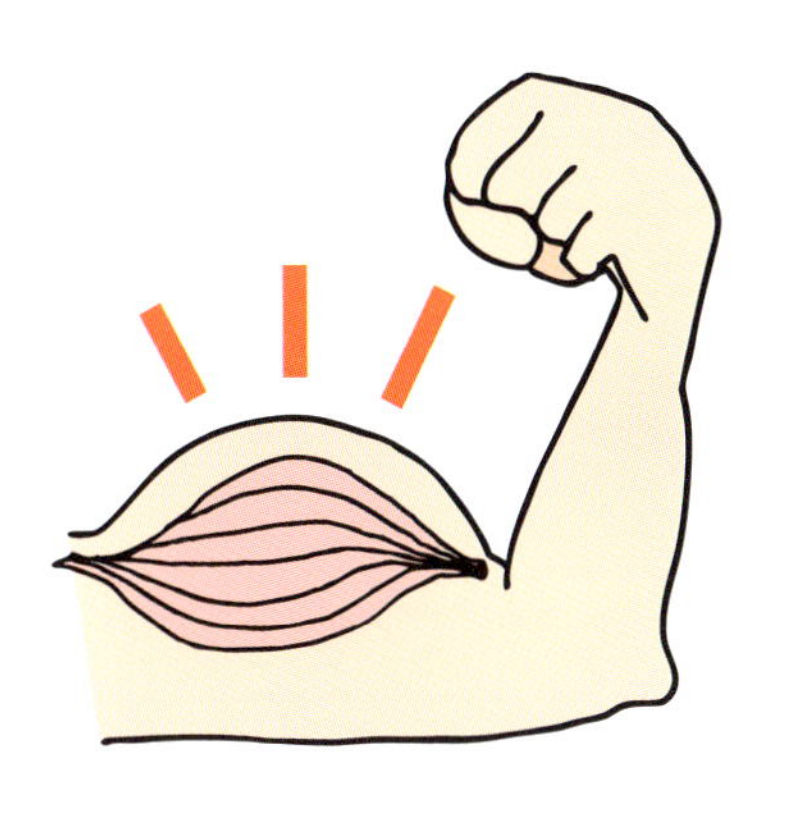

筋肉は主にたんぱく質と脂肪・ミネラルからできている。

筋肉

筋肉を鍛えるには 十分なたんぱく質が不可欠

筋肉の主な成分は、たんぱく質が80%、脂肪やミネラルが20%。筋力を鍛えるためには、筋力トレーニングとともに、食事でたっぷりとたんぱく質をとることが大切です。特に、運動をしたあとの食事では、しっかりたんぱく質を補給することが大切です。

⇨P104参照

まとめ

- 丈夫な骨をつくるにはカルシウム+たんぱく質+ビタミンCが必要
- 筋肉の材料となるたんぱく質をしっかりとる

神経と栄養の関係は？

神経の働きが高まると瞬発力が生まれる

重要度 ★★★☆☆

スポーツでも、神経の働きは非常に重要な役割を占めています。例えばテニスやサッカーなどの競技では、相手やボールの動きを見てとっさに判断し、適切に動く能力が必要です。詳しく説明すると、まず、目から入った情報は情報伝達物質として神経を通して脳に送られます。すると脳は筋肉に指令を送り、その結果、とっさに動くことができるのです。これは、どの競技においても同じです。

神経はたんぱく質、情報伝達物質はビタミンB群でできており、情報量の調節をカルシウムとマグネシウムが行っています。これらの栄養素が揃って初めて、正しく素早い動きができるようになるのです。特に、成長期のジュニアは、神経に必要な栄養素を十分とりましょう。

OnePoint

個々の神経細胞間で情報がやりとりされる

中枢神経から出た神経は細かく枝分かれして、全身にくまなく張り巡らされています。神経細胞は1本につながっているわけではなく、個々の細胞間で情報のやりとりを行っています。

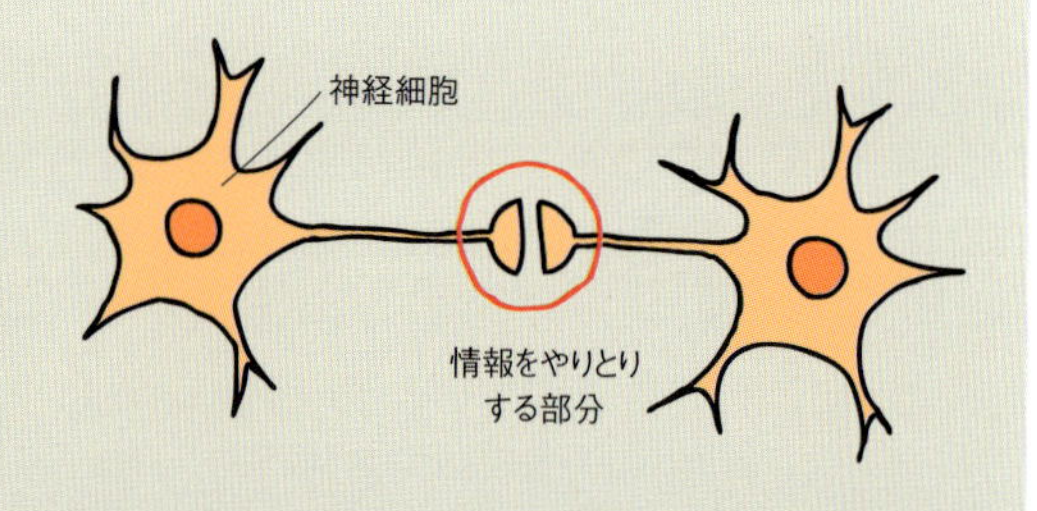

細胞間で情報伝達物質のやりとりを行います。

神経のしくみと必要な栄養

神経と栄養について、あまり意識したことはないかもしれませんが、
神経を正しく動かすには、ビタミンB群とミネラルが必要です。

ビタミンB群・カルシウム・マグネシウムがカギを握る

神経はたんぱく質でできていますが、情報を乗せて運ぶ「情報伝達物質」はビタミンB群の仲間でできています。そして、情報量の調整をカルシウムとマグネシウムが行っています。自分のイメージ通りに体を動かすにはビタミンB群・カルシウム・マグネシウムが欠かせません。

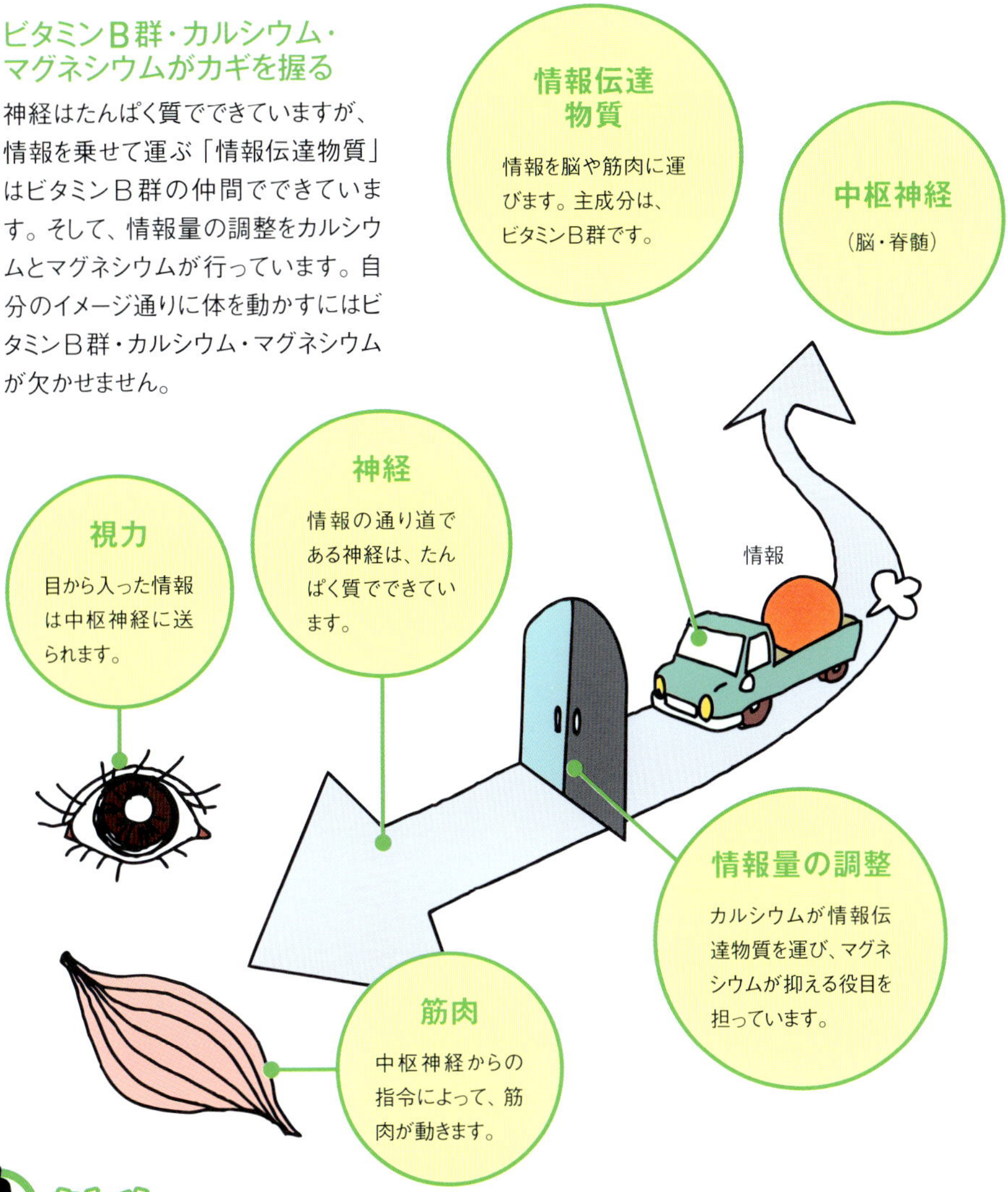

情報伝達物質
情報を脳や筋肉に運びます。主成分は、ビタミンB群です。

中枢神経
（脳・脊髄）

情報

視力
目から入った情報は中枢神経に送られます。

神経
情報の通り道である神経は、たんぱく質でできています。

情報量の調整
カルシウムが情報伝達物質を運び、マグネシウムが抑える役目を担っています。

筋肉
中枢神経からの指令によって、筋肉が動きます。

まとめ

- 正しく素早く動くにはビタミンB群とミネラルが必要

11

血液の役割は？

体のすみずみまで酸素と栄養を運ぶ

重要度 ★★☆☆☆

血液中の赤血球は、酸素や栄養を体のすみずみの細胞に運んでいます。赤血球の主成分は赤色の「ヘモグロビン」です。赤血球をトラックにたとえると、ヘモグロビンは酸素を運ぶ荷台にあたります。つまり、赤血球の数が多く、ヘモグロビンの量が多ければ、より多くの酸素を運ぶ事ができます。

血液の主成分は鉄とたんぱく質です。スポーツ選手が貧血を起こしやすいのは、発汗やジャンプなどの衝撃による鉄の損失に加え、筋肉の発達に鉄が必要とされるからです。また、成長期に急激に身長が伸び、たんぱく質の必要量が増えることで貧血が起こりやすくなります。女子選手には月経があるため、貧血はより身近な問題です（P108参照）。

OnePoint

血液にはさまざまな役割がある

血液は、赤血球・白血球・血小板と、液体成分である血漿（けっしょう）からできています。血液には酸素と栄養の運搬だけでなく、血液を固めて止血する、体内に入り込んだ異物を退治するといった役割があります。

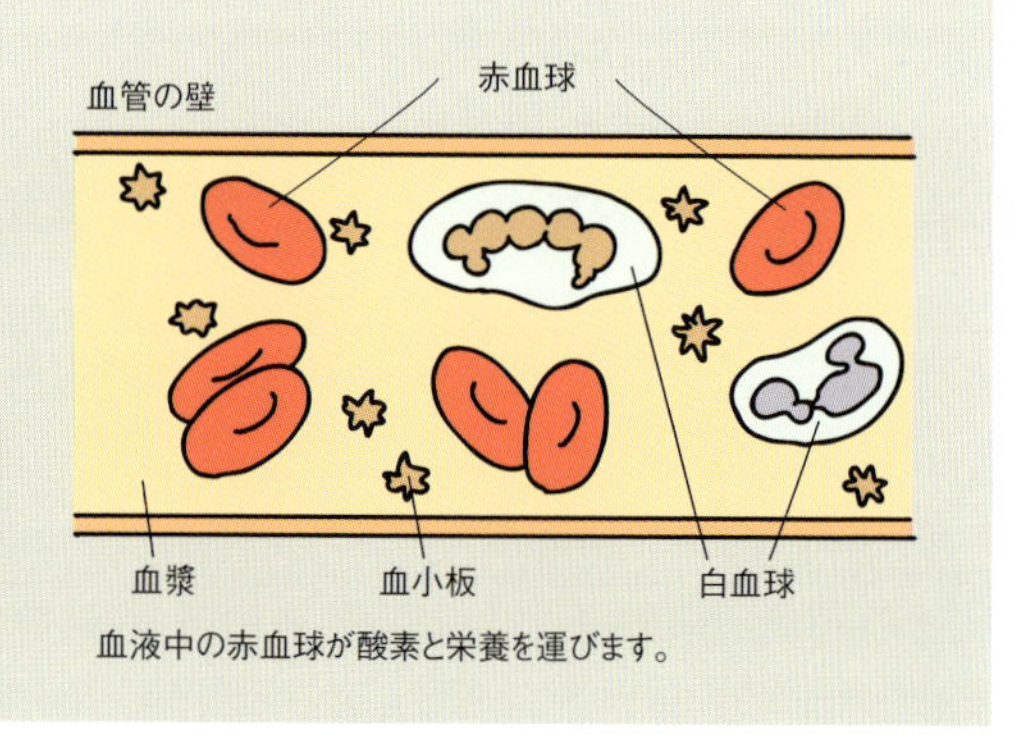

血液中の赤血球が酸素と栄養を運びます。

血液の役割

血液が不足すると酸素と、栄養が体のすみずみに行きわたらずに
息切れやスタミナの低下、貧血などを引き起こすことがあります。

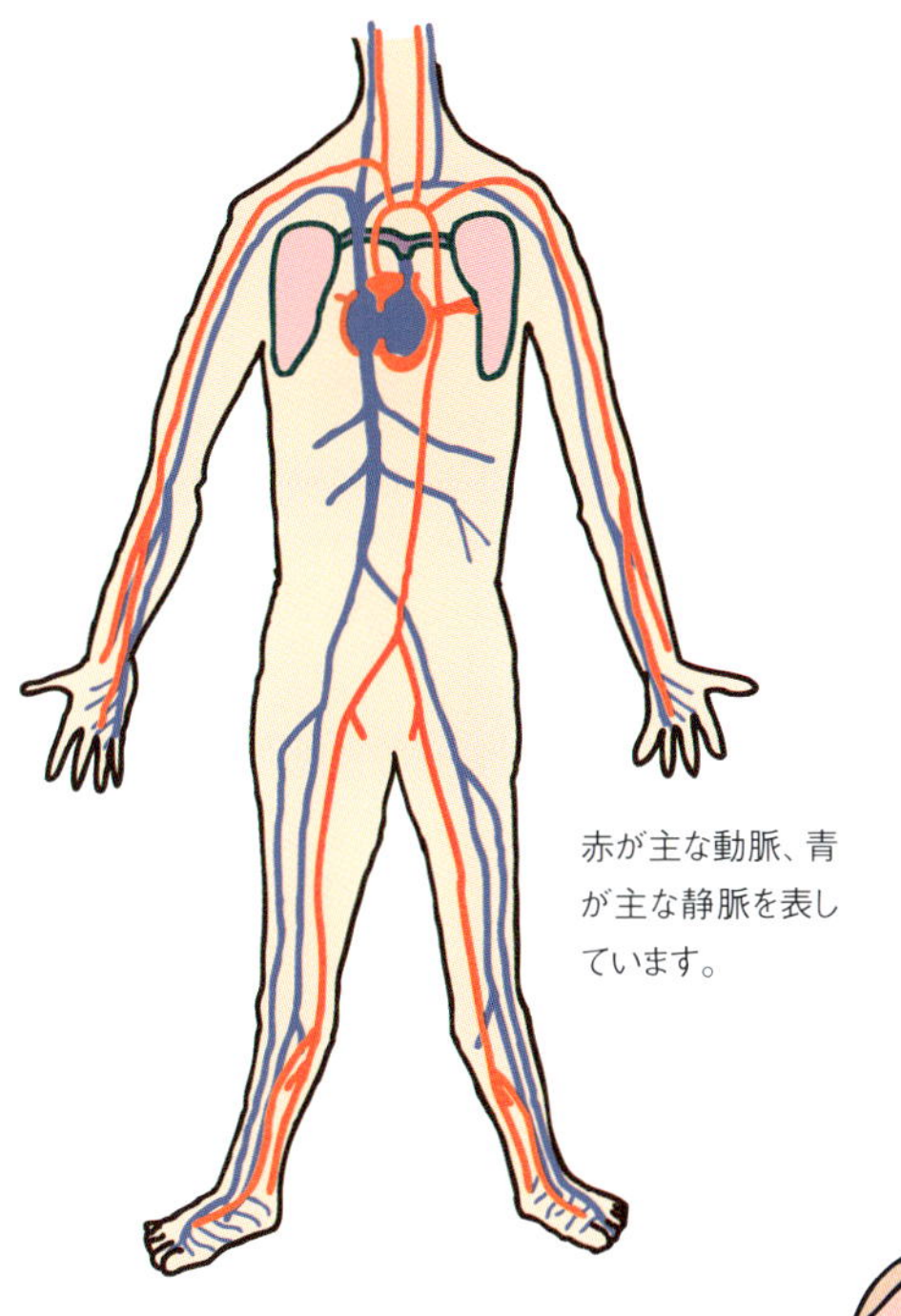

赤が主な動脈、青が主な静脈を表しています。

全身に酸素と栄養を届けて二酸化炭素と老廃物を回収する

心臓から送り出された血液は、大動脈から動脈を通って全身をかけめぐり、毛細血管へと到達します。そして、細胞に酸素と栄養を送り届け、二酸化炭素と老廃物を回収して、静脈へと流れ込みます。静脈の血液が肺に到達すると、再び酸素と栄養を与えられて、心臓から全身への循環をくり返します。血液が不足すると、栄養と酸素が体に行きわたらず、息切れやスタミナの低下、貧血といった症状が現れることがあります。

血液に含まれるヘモグロビンは鉄とたんぱく質でできている

全身に酸素や栄養を送り届ける運び手の働きをしているのは、血液に含まれている「ヘモグロビン」という成分。主に鉄とたんぱく質でできています。鉄は不足しがちな成分なので、毎日の食事では特に意識してとりましょう。

まとめ

- 血液不足を招かないために、毎食鉄分＋たんぱく質をとる

12

練習の効果を高める食事法は？

トレーニングの内容によって食事内容も変えよう

重要度 ★★★★☆

練習ではスクワットなどの筋トレやダッシュなどさまざまなトレーニングメニューが取り入れられます。これらは持久力を鍛えるためのもの、瞬発力を鍛えるためのものと、筋力を鍛えるためのもの、瞬発力を鍛えるためのものと、目的によって大きく3つに分けられます。そして、その日のトレーニングによって必要な栄養素は変わってきます。

例えば、持久力を高めるトレーニングでは、多くの炭水化物が必要です。筋力トレーニングでは、たっぷりとたんぱく質を摂取してください。瞬発力を高めるトレーニングでは、特にビタミンB群、ミネラルをよくとる必要があります。

トレーニング内容に合わせて、その日の食事も内容を工夫するようにしましょう。

OnePoint

時間があるときは昼寝するのもおすすめ

味の素と日本オリンピック委員会（JOC）が行った調査によると、味の素ナショナルトレーニングセンターを利用するアスリート110名の約7割が昼寝をしており、その平均1時間36分であることがわかりました。

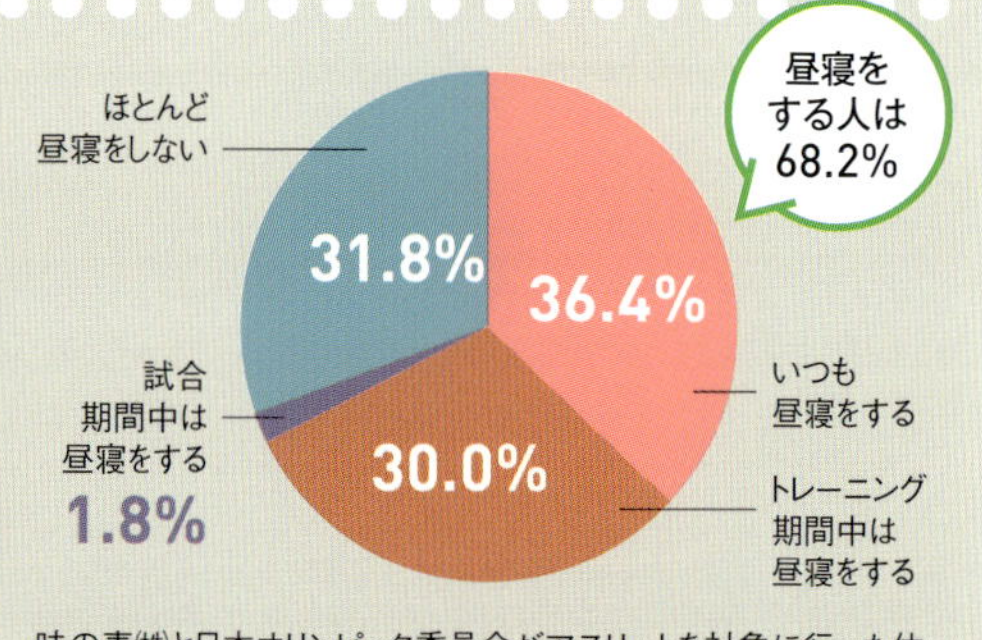

味の素㈱と日本オリンピック委員会がアスリートを対象に行った体調管理に関するアンケート調査（2012年3月実施）

トレーニング別・食事内容

トレーニングは目的によって大きく3つに大別できます。
競技ごとに特に必要とする栄養が違うことを覚えておきましょう。

筋力 を高めるトレーニング

スポーツ選手にとって、筋力トレーニングは欠かせない練習メニューです。強く、素早く、しなやかに収縮させることができる筋肉は、競技での力を生み出します。食事では、筋肉への栄養源となるたんぱく質を意識してとるようにしましょう。

たんぱく質を多く含む食品

肉、魚、牛乳、ヨーグルトなどの乳製品、卵、豆腐などの大豆製品　など

持久力 を高めるトレーニング

走り込みなどの「持久力」をアップさせるトレーニングは強い体づくりの基礎となっています。特に、試合時間が長い競技では、バテずに最後まで十分に力を発揮することのできるよう、持久力をアップさせる必要があります。炭水化物をしっかりとることが大切です。

炭水化物を多く含む食品

ごはん、パン、うどん・そばなどのめん類、さつまいもなどのイモ類、かぼちゃ　など

瞬発力 を高めるトレーニング

瞬発力を鍛えるトレーニングで必要となるのが「総合力」です。正しく速い動きをするための神経伝達と、筋肉への衝撃に対応するために、日ごろからミネラルやビタミンをとるようにしましょう。

ビタミンを多く含む食品

レバー、緑黄色野菜、柑橘類　など

ミネラルを多く含む食品

乳製品、納豆、レバー、ホウレン草、ナッツ類、海藻類　など

まとめ

- トレーニング内容に合わせて食事メニューを変える

13

筋力系トレーニングに必要な栄養は?

たんぱく質＋睡眠を意識してとる

重要度 ★★★★★

筋力アップはすべてのスポーツ競技に欠かせない要素です。筋力系トレーニングでは、栄養と睡眠が大きなカギを握っています。つまり、生活全体を見直すことでトレーニングの効果が違ってくるのです。

筋力系トレーニングを行うと筋肉に負荷がかかり、筋線維に細かい傷がつきます。そこで、筋肉の修復に必要なたんぱく質などを食事でとるわけですが、さらに重要なのが睡眠です。睡眠中に分泌される成長ホルモンにより、筋肉が以前よりも増して太く修復されます。このサイクルを繰り返すことで筋力が高まるのです。筋線維の本数は胎児の頃にほぼ決定するといわれていますが、個人差はあまりありません。努力で鍛えることが大切です。

OnePoint

早寝早起きで疲労を回復筋力もアップ!

「成長ホルモン」は、睡眠中に分泌して疲労回復や肉体の再生を行うホルモンのこと。成長ホルモンの分泌は3～17歳がピーク。この時期にしっかり眠って体を成長させることが大切です。

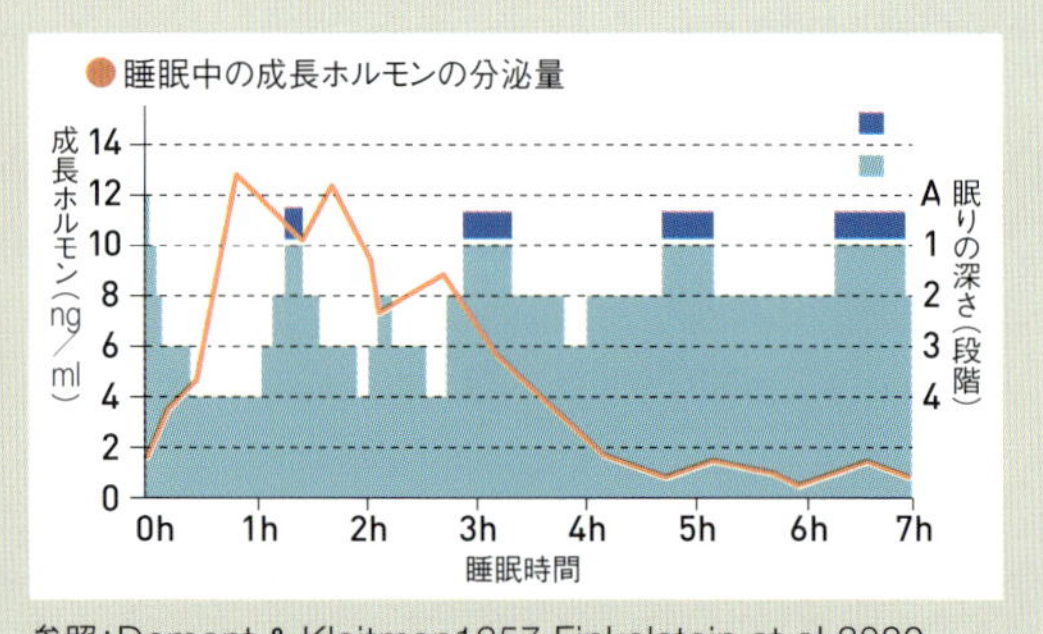

参照：Dement & Kleitman1957 Finkelstein et al.2020

筋力がアップしていくしくみ

筋力を高めるには、トレーニングだけでなく十分な栄養と睡眠が必要。
睡眠も強くなるために必要なトレーニングなのです。

筋肉が鍛えられるしくみ

トレーニング

トレーニングを行うと、筋肉に負荷がかかり、筋線維に細かい傷がつきます。

食事

傷ついた筋肉の回復に必要な栄養を食事で補給する。

休養

十分な睡眠でしっかりと体を休めて、傷ついた筋肉が回復するようにします。

NG 筋力が落ちることもある！

十分な栄養と休養をとらずに、ハードなトレーニングを続けていくと、逆に筋肉量が減ってしまうことがあるので、要注意！

「超回復」のしくみ

元の状態以上に筋肉を回復させることを**超回復**という。

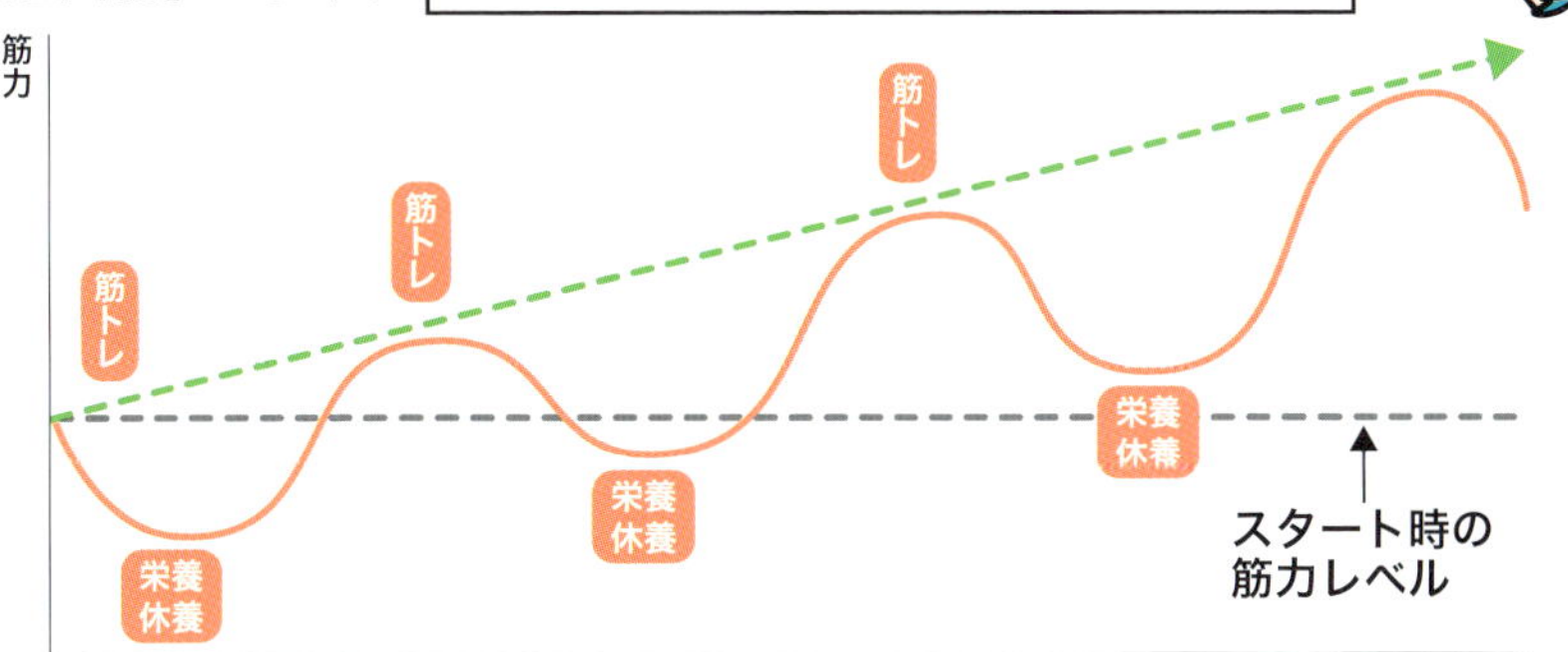

筋

肉の材料はたんぱく質です。筋力を強化するためには、たんぱく質を十分にとる必要があります。3回の食事＋補食で肉や魚、大豆製品、乳製品、卵など、たんぱく質を多く含む食品をとりましょう。**スポーツ選手には、体重1kgにつき約2gのたんぱく質が必要です**。体重が50kgであれば、1日に100gのたんぱく質を摂取するのが目標となるということです。

もちろん一度の食事で摂取するのではなく、**毎回の食事に振り分けましょう**。そして、一種類の食品だけでなく、**いろいろな種類の食品から摂取する**ことも大切です。動物性のたんぱく質と合わせて、大豆製品などの植物性のたんぱく質をとるなど、たんぱく質の組み合わせを工夫しましょう。

例えば、100gあたりに含まれるたんぱく質の量は、動物性たんぱく質では、豚もも肉は20.5g。鶏ささみ肉は、23.9g、マグロ（黒マグロ赤身）には、26.4g、含まれています。植物性たんぱく質では、木綿豆腐が7.0g、低脂肪乳が3.8g。成長期のジュニアは肉を好みがちですが、植物性たんぱく質もしっかりとりましょう。

たんぱく質と一緒に摂りたい栄養素は、ビタミンB6とビタミンCです。ビタミンB6がたんぱく質から筋肉を合成することを助け、ビタミンCが筋肉の質を良くするために必要だからです。

また、たんぱく質を含む食べ物にはリンが多く含まれています。リンはカルシウムを溶かすので、カルシウムも意識してとってください。

OnePoint

筋力が必要な主な競技種目

筋力が必要とされる競技でも、筋力だけでなく、持久力や瞬発力など、プラスアルファの力が必要とされます。競技に応じて、ほかの力も鍛えましょう。

- 陸上（投てき、砲丸投げ）
- 相撲
- カヌー

筋力がアップするたんぱく質摂取のコツ

たんぱく質を効率よく筋肉に変えるしくみを理解しましょう。
コツを理解することが筋力アップには大切です。

効率のよいたんぱく質のとり方のポイント

Point1
複数の食品からとる

必要なたんぱく質を一つの食品からとるのではなく、朝、納豆などの大豆製品をとったら、昼は魚、夜は肉、といった具合に、いろいろな食品を組み合わせて摂取回数を増やすことで、必要なアミノ酸を揃えることができます。

Point2
一度でとらずにこまめにとる

一度の食事で吸収できるたんぱく質の量は限られています。まとめてとらず、朝・昼・夕食とに分けてとるようにしてください。間食にもたんぱく質を取り入れるといいでしょう。

Point3
脂肪はひかえめに

牛肉や豚肉などは、部位によっては脂肪を多く含んでいる場合があります。たんぱく質をとろうとして肉を食べ過ぎると、結果として脂肪をとりすぎてしまうことがあるので注意が必要です。

Point4
ビタミンB6・Cを一緒にとる

ビタミンB6は、たんぱく質が筋肉へと合成されるのを助け、ビタミンCは、筋肉や関節、靭帯などの強化につながります。

ビタミンB6が豊富な食品

鶏肉、レバー、にんにく、バナナ、赤身の魚、玄米など

ビタミンCが豊富な食品

芽キャベツ、小松菜、ピーマン、じゃがいも、くだものなど

まとめ

- 3食＋補食ごとにさまざまな種類のたんぱく質をとる
- 筋肉作りを効率よく行うためには、たんぱく質と一緒にビタミンB6とビタミンCをとる

14

持久力系トレーニングに必要な栄養は?

炭水化物をとってエネルギーを筋肉に貯蔵しよう

重要度 ★★★★★

持久力系トレーニングでは、大量のエネルギーと酸素が必要になります。そのため、エネルギー源と酸素の供給をスムーズにすることがポイントです。

運動で利用されるエネルギー源は炭水化物です。ごはんや麺類、パンなどに多く含まれる炭水化物（糖質）が消化されてブドウ糖になり、グリコーゲンとして筋肉や肝臓に蓄えられます。運動では、血液中のブドウ糖や筋肉に貯蔵されたものがエネルギー源として消費されます。

炭水化物をエネルギーにするには、ビタミンB群やマグネシウムの働きが欠かせません。これらを一緒に摂ることでエネルギーが産生されます。また、酸素は赤血球によって供給されるため、赤血球の材料となる鉄分の補給も十分な量が必要です。

OnePoint

スタミナと持久力はどう違う?

厳密な定義はありませんが、一般的に、持久力とは運動を続ける力、スタミナとは気力や粘り強さなど、精神力も含めた持久力、体力は心肺能力・筋力・免疫力も含めたトータルな体の力を指す際に多く使われます。

体力
運動に耐える体の力

スタミナ
精神力も含めた持久力

持久力
運動を続ける力

体力とは、精神力も含めたトータルな力を指します。

炭水化物が吸収されるしくみと体内での働き

食事でとった炭水化物は消化されてグリコーゲンへと変化します。
筋肉に蓄積されたグリコーゲンは体を動かすエネルギーとなります。

糖質（炭水化物）は、脳を働かせ、運動するために不可欠な栄養素

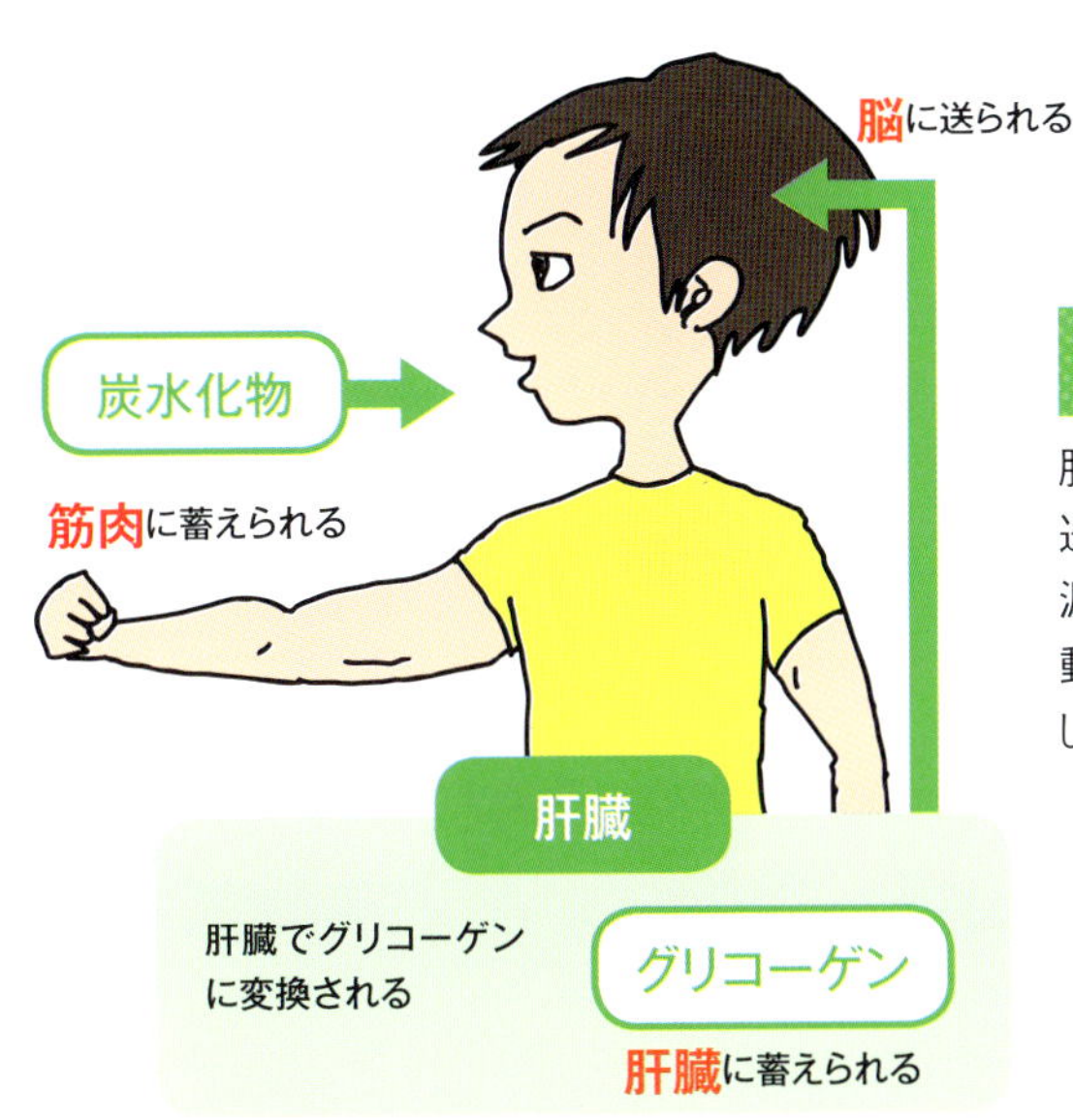

炭水化物は筋肉に蓄えられエネルギー源となる

肝臓で作られたグリコーゲンは、脳に送られて脳が働くためのエネルギー源になったり、筋肉に蓄えられて運動するためのエネルギー源になったりします。

グリコーゲンは運動するためのエネルギー源

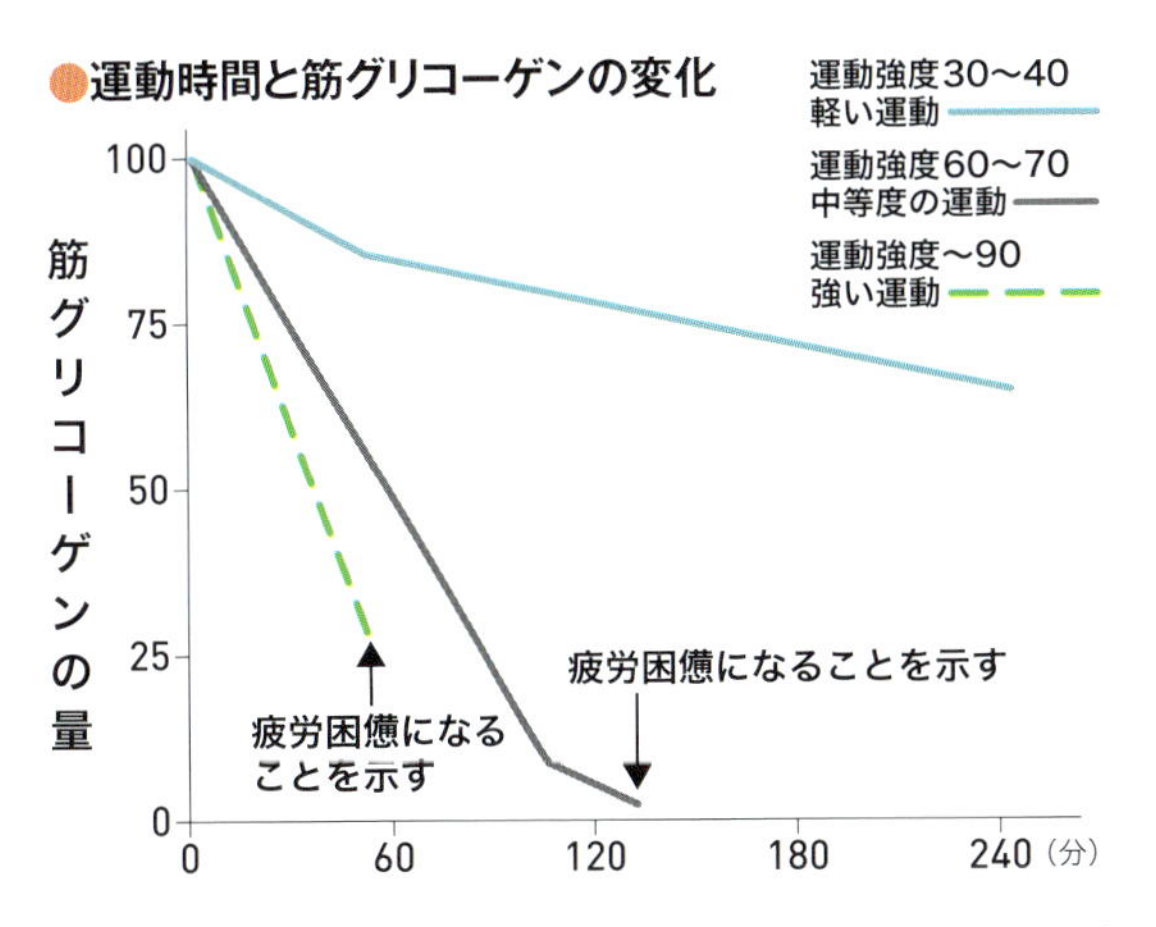

『アスリートを勝利に導く！ 食事と栄養究極のポイント50（コツがわかる本！）』（メイツ出版より）

枯渇すると動けなくなることも

グリコーゲンとは、食事に含まれる糖質（炭水化物）が小腸で吸収されてブドウ糖になり、肝臓でグリコーゲンに変えられたもの。グリコーゲンが減少すると、疲れきって動けなくなってしまいます。

持久系トレーニングでは、ごはん、パンなどの主食を多めにとることが大切です。主菜、副菜、汁物についても、じゃがいもやかぼちゃ、トウモロコシといった穀物類を使った料理で糖質を補うとよいでしょう。

糖質はたんぱく質と一緒に、トレーニング後すぐにとることが大切です。アミノ酸入りのエネルギーゼリーや果汁100%ジュースなど、まずは胃に負担の少ない液体で使ってしまった分のエネルギーを補給しましょう。固形物はそのあとにとります。**糖質がエネルギー源に分解されるのを助ける役目を果たすのがビタミンB群**で、中でも豚肉や大豆製品、ウナギなどに多く含まるビタミンB_1を一緒にとると、効率よく、素早くエネルギーを確保することができます。ビタミンB_1だけでなく、ビタミンB群の食品を組み合わせてとるようにしましょう。

オレンジなどのかんきつ類や梅干しに多く含まれるクエン酸は、糖質の吸収を促進する働きがあります。

持久系トレーニングでは、赤血球の材料である鉄分が長時間の運動で汗と一緒に失われるため、食事から意識してとることが大切です。鉄分は、レバー・ほうれん草・海藻類などに多く含まれます。しかし、吸収率が低く特にほうれん草や海藻類などに含まれる非ヘム鉄の吸収率は2~5%。そのため、吸収を助けるビタミンCやたんぱく質と一緒にとる工夫が必要です。また、コーヒー・緑茶・紅茶などには鉄の吸収を阻害するタンニンが含まれます。食事の前後30分は控えましょう。

持久力が必要な主な競技種目

持久力は、全てのスポーツ選手にとっての土台となる力ですが、試合が長時間にわたるなど、競技自体に持久力が必要とされる種目があります。

- 水泳（長距離）
- 陸上(長距離)
- スキー（クロスカントリー）
- スピードスケート(長距離)
- 自転車競技
- トライアスロン
- ダンス競技　など

持久力アップのコツ

炭水化物が体に蓄積されるためのコツを理解しましょう。
持久力トレーニングに合った食材を紹介します。

■ 効率よく持久力をアップさせる食事のポイント

Point1
糖質をたっぷりとる

持久力トレーニングでは、エネルギーの消費量が多いため、スタミナ不足になりがちです。また、脳へのエネルギーも不足して、集中力や判断力が低下してしまいます。糖質が多く含まれるごはんやめん類などの主食をしっかりとりましょう。

Point2
トレーニング後すぐにとる

糖質は、トレーニング後20分以内にとるのがコツ。グリコーゲンの回復が早まって、疲労を回復させる効果も高まります。

Point3
鉄分の摂取を意識する

必ず毎食どれか1つでも補給する事が大切です。鉄分が豊富な食品としてはレバー、牛赤身肉、マグロ、アサリ、ほうれん草、海藻類、レーズンなどが挙げられます。

Point4
ビタミンB群、マグネシウムを一緒にとる

ビタミンB群、マグネシウムの働きがないと、糖質はエネルギーとして燃焼することができません。

ビタミンB1が豊富な食品
豚肉、ウナギの蒲焼き、豆腐、玄米、枝豆　など

マグネシウムが豊富な食品
海藻、青菜、大豆・大豆製品、ごま、ナッツ類など

まとめ

- トレーニング後20分以内に糖質をとり、エネルギーを補う
- 炭水化物は、ビタミンB群・クエン酸とともにとる
- 鉄分を意識してとる

神経系トレーニングに必要な栄養

素早く正しい動きには神経への栄養が必要

重要度 ★★★★★

キレのよい動きや素早く正しく動ける反応力を身につけるのが神経系トレーニングです。神経系トレーニングとは、スピードや瞬発力を身につけるために、くり返しトレーニングを行って、とっさに判断して正確に動けるように鍛えていくこと。

それには、骨のまわりにある「随意筋」と呼ばれる筋肉に素早く正しく情報が伝達される必要があります。つまり、**神経が正しく動いてこそ、体を動かす随意筋に瞬時に正確に情報が伝わり、思った通りに動ける**ようになるわけです。そのためには、情報を伝達する力＝神経の働きを高める必要があります。

情報が正しく伝わらないと、筋肉が情報を正しく受け取れず、筋ケイレンを起こすこともあります。

OnePoint

瞬発力には2つのタイプがある

瞬発力には、ウエイトリフティングのように瞬間的に大きな力を必要とする競技と、卓球などのように筋力とともに動体視力や反射神経が必要とされる競技があります。自分に必要な瞬発力を意識したトレーニングが重要です。

力を発揮するための瞬発力
▼
太くて強い筋肉が必要

俊敏さを発揮するための瞬発力
▼
素早く動ける筋力と動体視力や反射神経が必要

競技に合わせて、瞬発力を鍛えよう。

神経と筋肉の働き

素早く正しい動きをするためには、筋肉を鍛えるだけではなく、
筋肉に情報を伝える神経の働きを向上させる必要があります。

筋肉と神経の働き

筋肉の種類

随意筋（ずいいきん）

自分の意志で動かせる筋肉

→ **骨格筋**

骨格についている細長い筋線維で、表面に横縞の模様があることから、横紋筋とも呼ばれます。脳からつながっている「運動神経」と呼ばれる神経によってコントロールされています。

骨格筋を**素早く正しく**動かすには神経の働きが重要!

不随意筋（ふずいいきん）

自分の意志では動かせない筋肉

→ **心筋・内臓筋**

心臓の筋肉や胃腸の壁にある筋肉などの内臓の筋肉は、自分の意志では動かすことができず、「自律神経」と呼ばれる神経によってコントロールされています。

朝食は、足の速さに関係する

スピードを伸ばすために

朝食を毎日食べる習慣のある人は足が速いというデータがあります。スピードアップのためにも朝食は必ず食べるようにしてください。

●13歳男子50m走のタイムと朝食をとる度合い

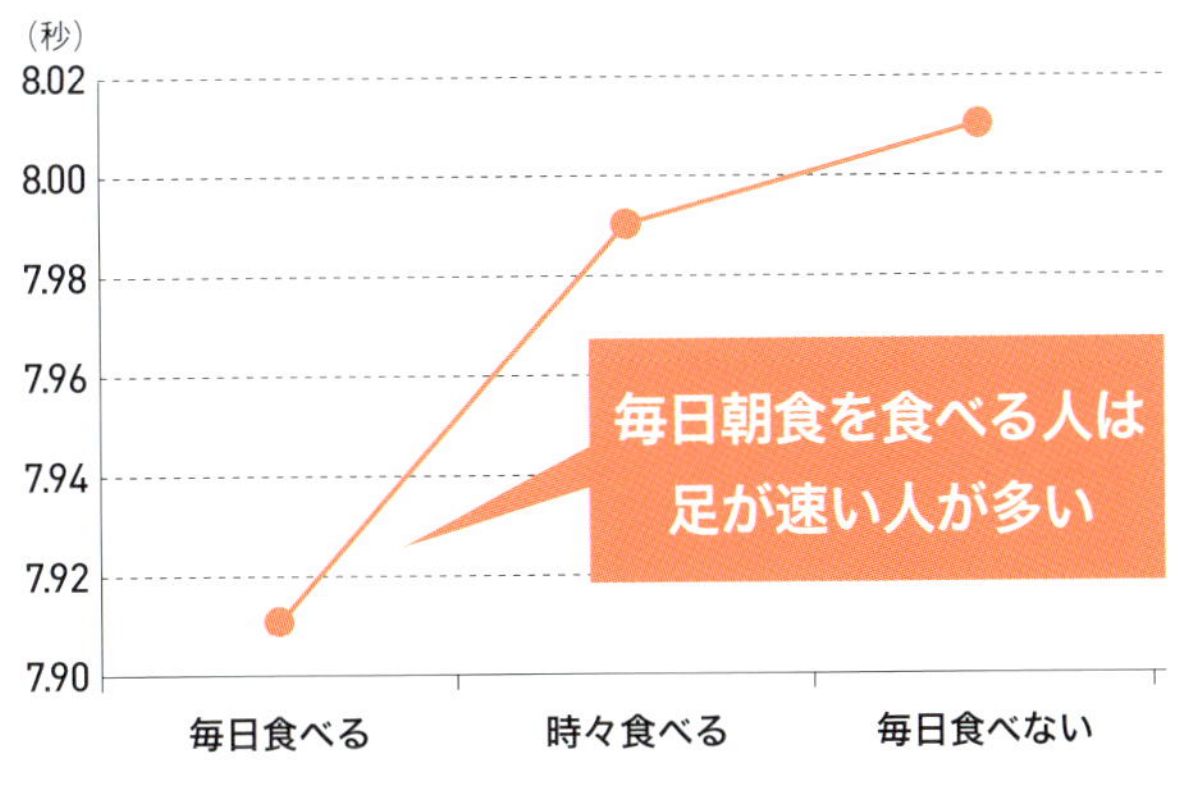

平成20年度体力・運動能力調査「朝食の摂取状況別体格測定・テストの結果」(文部科学省)

神経系トレーニングで必要になるのは、神経伝達の働きを高めるための栄養です。神経はたんぱく質、情報伝達物質はビタミンB群でできています。また、情報量の調節をカルシウムとマグネシウムが行っています（P28参照）。これらの栄養素が揃って初めて神経が正しく働いて、素早い動きができるようになるのです。特に、プレー時間が長い競技や汗を多くかくとき、初めての動作を行うときには、これらの栄養が必要とされます。

神経をつくっているたんぱく質をとりましょう。たんぱく質は、肉や魚、卵、乳製品、大豆製品などに多く含まれています。

また、神経を正しく働かせるには、カルシウムとマグネシウムの摂取が欠かせません。カルシウムは集中力を高める働きもあり、牛乳、チーズ、ひじき、ホウレン草などに多く含まれます。水を飲むなら、硬水のミネラルウォーターがおすすめ。硬水にはミネラルが多く含まれているからです。

脳から筋肉へ情報を伝える情報伝達物質を高めるのがビタミンB群です。ビタミンB群は、鶏肉や豚肉、卵、牛乳、バナナなどに多く含まれています。また、神経の働きを高めたいなら、インスタント食品は極力控えたいものです。というのも、インスタント食品に含まれるリンがカルシウムの吸収を阻害するため。また、精製された砂糖（白砂糖）も、ビタミンとミネラルを使い果たしてしまいます。神経の働きに必要なビタミンB群を守るためにも、白砂糖は控えましょう。

OnePoint

瞬発力が必要な主な競技種目

瞬発系競技には、短時間で一気に大きな力を発揮する競技と、試合時間の中で瞬発的で機敏な動きをくり返す競技があり、後者の場合は、持久力も必要とされます。

- 野球・ソフトボール
- 陸上（短距離）
- 水泳（短距離）
- 体操・新体操
- 空手
- 卓球
- ゴルフ
- ウエイトリフティング

瞬発系競技の中には、持久力も必要とされるものも多い。

瞬発力アップのコツ

瞬発力ではバランスのとれた持久力と筋力が必要とされます。
食事でも、両方の力を伸ばすような栄養のとり方が必要です。

■ 瞬発力をアップさせる栄養のとり方のポイント

Point1
基本はたんぱく質

神経をつくっているたんぱく質をとりましょう。たんぱく質は、肉や魚、卵、乳製品、大豆製品などに多く含まれています。同じものを続けて食べず、なるべく多くの種類を食べるようにしましょう。

Point2
カルシウムとマグネシウムはとても重要

カルシウムには情報伝達物質を運ぶ働きがあり、マグネシウムには情報伝達物質の量を調整する働きがあります。両方とも神経の働きには欠かせない栄養素です。

カルシウムが豊富な食品

牛乳、干しエビ、
チーズ、
ホウレン草、ひじき
など

マグネシウムが豊富な食品

アーモンド、
干しエビ、
納豆、ワカメ、
玄米　など

Point3
神経の働きに欠かせないビタミンB群

ビタミンB群は、脳から筋肉への指令を運ぶ神経伝達物質の働きには欠かせない栄養素です。ビタミンB群には脳の働きを高める働きもあり、集中力アップに役立ちます。鶏肉や豚肉、卵、牛乳、バナナなどに多く含まれています。

Point4
インスタント食品は避ける

白砂糖やインスタント食品、炭酸飲料に含まれるリンは、カルシウムの吸収を妨げる働きがあります。できるだけ避けるようにしましょう。

まとめ

- 神経系トレーニングではカルシウムとマグネシウムとビタミンB群が重要
- 神経の働きに悪影響なインスタント食品は避ける

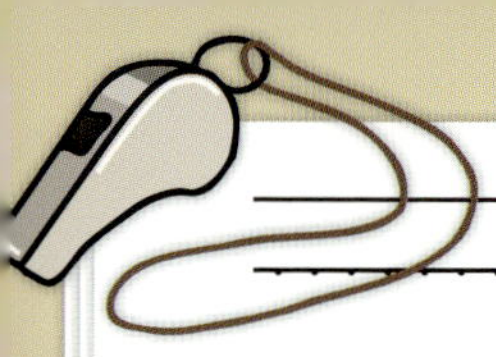

Column❷

トップアスリートの食事としっかりとした目的意識

栄養学の面からトップアスリートの活躍を考える試みが最近注目されています。食品企業の中にも、アスリート用の献立を特別に開発する計画がさまざまにあるようです。そうした動きの中で特に印象的なのは、開発する側およびアスリート側の全員が持っている「何を食べるかではなく、何のために食べるのか」という問題意識です。

世界の一線で活躍しているアスリートには、専門の栄養士や調理師がついてサポートしている場合が多いのですが、アスリート自身、決して無関心でいるわけではないのが最近の傾向です。あるサッカー選手のインタビューでは、選手自身の口からカリウムやマグネシウムといったミネラルの名前が次々に挙げられ、どんな働きがあるのか、どんな目的でとるのか、といったことを明確に語っていました。食事はトップアスリートの一部なのです。

トップアスリートが実践する3つの食習慣

① 好き嫌いせず食べる

食事もトレーニングの一つです。苦手なトレーニングでも上達するためにはきちんと取り組むように、苦手な食べ物を克服しましょう。

② 残さず食べる

成長期にあるジュニアスポーツ選手は、たくさんの栄養が必要です。栄養の知識を身につけて、残さずに食べるようにしましょう。

③ よく噛んで食べる

よく噛むことで、消化器官を助ける唾液が分泌され、効率よく消化・吸収されるようになります。噛むことは、"消化器官のスイッチ"なのです。

Part 3

体をつくる栄養について

栄養に関する知識は、
実際に活用しなければ意味がありません。
栄養素の働きを理解して、
今の自分に必要な栄養素を知りましょう。

16

体に必要な栄養素ってどんなもの？

「5大栄養素」が体をつくり、動かし、調子を整える

重要度 ★★★☆☆

食べ物に含まれる栄養素には大きく分けて3つの役割があります。体自体をつくる成分になること、体を動かすエネルギー源になること、体の調子を整えることです。栄養素は45〜50種類以上あります。

体をつくる材料になるのが、主にたんぱく質、脂質、ミネラルです。たんぱく質と脂質は、糖質とともにエネルギー源となります。ミネラルとビタミンはほかの栄養素に働きかけて、体の調子を整える働きをします。人間にとって極めて重要な**糖質、脂質、たんぱく質、ビタミン、ミネラルを特に「5大栄養素」と呼んでいます。**どれ一つをとっても欠かすことができず、食事ではすべてをバランスよく摂取する工夫が必要です。

カラダのしくみ

ビタミンとミネラルが栄養素の働きを活性化

ビタミンやミネラルは、それ単体ではなく、ほかの栄養素と一緒にとることで活性化します。また、ビタミンとミネラルも相関関係にあるため、できるだけ組み合わせてとるようにしましょう。

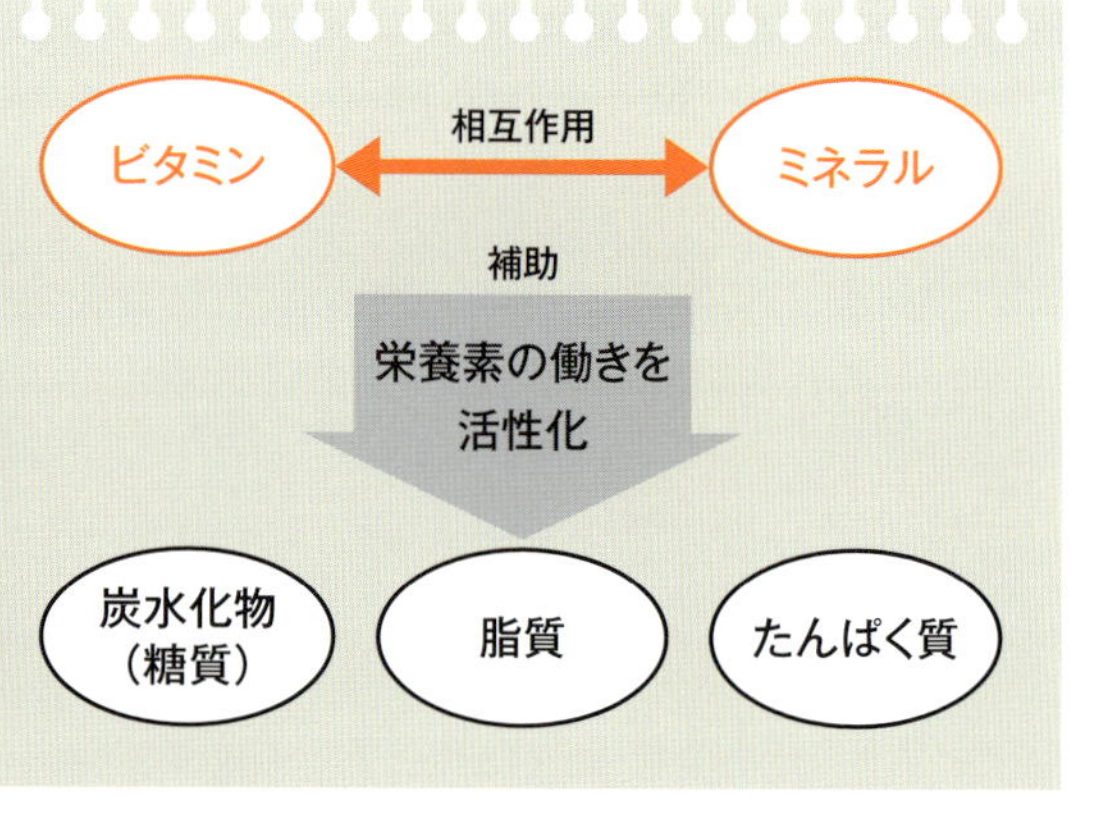

体と栄養の関係

健康な体に必要な5大栄養素の働きを確認しましょう。
さまざまな栄養をバランスよくとることが大切です。

エネルギー源になる

生命を維持したり、活動したりするためのエネルギーになります。

体の組織をつくる

骨や筋肉、血液、皮膚などをつくる成分となります。

体の調子を整える

食べ物を体に吸収させたり、免疫力を高めたり、体の部位を正しく動かすときに必要です。

炭水化物（糖質）

たんぱく質

脂質

ビタミン

ミネラル

- 5大栄養素の体への影響を理解し、効率よく食べる

17

炭水化物（糖質）はどうとればよい？

消化時間を考えながら糖質を組み合わせてとる

重要度 ★★★★★

糖質はブドウ糖に分解され、筋肉の中にグリコーゲンとして蓄えられます。運動の際には分解されてエネルギー源として使われます。脂質やたんぱく質もエネルギー源として使われますが、優先的に使われるのは糖質で、運動中のエネルギーも糖質が大半を占めています。素早く吸収されてエネルギーに変換されるため、体への負担が少ない点でも優れています。また、糖質は脳が活動するためのエネルギー源として使われます。スポーツで結果を出すためには、集中力や的確な判断力などが必要です。糖質は総合的な意味で運動を行ううえでの重要な栄養素なのです。ごはんやパンをはじめとする主食に豊富に含まれています。

栄養の基本

糖質を多く含む食品

糖質は、ごはんやめん類、パンなど、主食に多く含まれています。種類によって消化にかかる時間が違うため、組み合わせてとることでスタミナ切れを防ぐことができます。

炭水化物（糖質）の上手なとり方

糖質は体を動かすためのエネルギー源。
試合や練習でバテないためにもしっかり炭水化物をとりましょう。

炭水化物を上手にとるためのポイント

Point1 消化までの時間を考えてとる

ひと言で炭水化物といっても消化が早目のものと消化が遅目のものがあります。この性質を利用して、消化速度の異なる炭水化物食品を組み合わせてとれば、すぐにエネルギーになって長時間持たせることができます。

Point2 ビタミンB群と一緒にとる

糖質はビタミンB群、特にビタミンB1とマグネシウムを一緒にとると、エネルギーの産生がスムーズに進みます。ごはん＋納豆、ハムサンドなど、糖質をとるときはビタミンB1を含む食品と組み合わせましょう。

Point3 朝食では必ず炭水化物をとる

朝食では必ず素早く吸収されてエネルギーに変わる糖質をとってしっかりエネルギーチャージをしましょう。また、糖質は脳のエネルギー源になるので、頭の働きをよくして集中力も高まります。

糖質は種類によって消化時間が違う

消化速度		糖の種類	多く含まれる食品
早い	単糖類	ブドウ糖、果糖、ガラクトース	ハチミツ、果物 
	少糖類	ショ糖、麦芽糖、乳糖、オリゴ糖	砂糖、牛乳 
遅い	多糖類	でんぷん、グリコーゲン、デキストリン	穀物、イモ類 

まとめ

- 炭水化物はビタミンB群と一緒にとる
- 炭水化物同士を組み合わせてとるとエネルギーが長時間持続

18

脂質はどうとればよい？

いい油・悪い油を理解して質のよい脂質をとる

重要度 ★★★★★

脂質は体によくないというイメージを持っている人も多いでしょう。しかし、細胞や血液の材料となるため、特に成長期には脂質は欠かすことのできない栄養素のひとつとなっています。ビタミンの中には油にしか溶けない脂溶性ビタミン（A、D、E、Kなど）もあり、効率のよいビタミン摂取の観点からも脂質は重要な役割を占めています。さらに、体温の維持や体への衝撃を緩和するなど、体をつくると同時に身を守っています。

脂質を上手にとるには、加熱していない酸化しにくい脂質をとること。すりたてのゴマをとったり、サラダにエキストラバージンオリーブオイルを垂らしたりして、質のいい油をとるようにしましょう。

栄養の基本

脂質を多く含む食品

肥満の原因という悪いイメージがある脂質ですが、体には欠かせない栄養素。さまざまな種類の脂質の働きを理解して、質のいい油脂をとるようにしましょう。

脂質を多く含む食品

サラダ油、バター、マーガリン、マヨネーズ、豚バラ肉、牛バラ肉、ベーコン、サンマ、ウナギ、マグロ刺身など

油脂の上手なとり方

脂質は、植物性のもの・動物性のものなどさまざまな種類があり、
それぞれに体への影響が異なるので、その違いを理解しましょう。

できるかぎり避けたい「悪い油脂」

酸化した油

時間のたった揚げ物や炒め物

油は高温で加熱したり、長時間空気にさらされたりすると酸化します。酸化した油は体内で活性酸素をつくり出します。

トランス脂肪酸

マーガリンやショートニング

自然界には存在しない脂肪酸で、現在、世界的に規制する動きがあります。マーガリンやショートニングに含まれています。

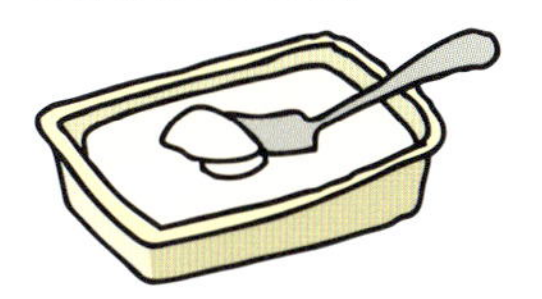

過剰なリノール酸

マヨネーズやスナック菓子

植物性の油で、マヨネーズやスナック菓子のほか、大豆や米、小麦にも含まれるため、気づかないうちに大量摂取してしまいがちです。

脂質をとるなら選びたい「いい油脂」

α-リノレン酸

生の亜麻仁油やシソ油、エゴマ油

血液をサラサラにする働きがありますが、加熱すると効力が落ちるので、加熱せずに食べるようにしましょう。

EPA・DHA

サバやイワシなどの青魚

コレステロールなどを低下させるEPA、脳を活性化させるDHAは、一緒に摂取すると効果が高まります。

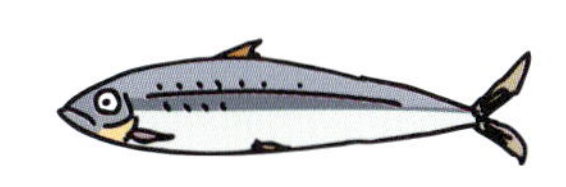

オレイン酸

オリーブ油やキャノーラ油

コレステロールの上昇を抑え、酸化しにくいため加熱しての調理するのにも向いています。

まとめ

- 体の酸化を防ぐため、非加熱で酸化していない油を選ぶ
- 体へ悪影響の可能性があるトランス脂肪酸は避ける

19

たんぱく質はどうとればよい？

一度にたくさんとらず、食事ごとに摂取するとよい

重要度 ★★★★★

一度に吸収できるたんぱく質の量は30gといわれています。スポーツ選手が1日にとりたいたんぱく質の量は、体重1kgあたり2gが目安で、一般人の2倍程度が必要です。一食で条件を満たせる量ではありませんので、1日3回の食事や補食で、動物性たんぱく質と、大豆製品など植物性たんぱく質をバランスよく摂取するようにしましょう。

特に心がけたいのは朝食でたんぱく質を十分にとることです。体温を上げて、眠っていた脳と体をいちはやく目覚めさせる効果もあります。たんぱく質は分解されてアミノ酸となり肝臓に蓄えられます。その中に含まれる必須アミノ酸は9種類あり、どれひとつとして欠かすことはできません。

栄養の基本

たんぱく質を多く含む食品をとろう

私たちの体は20種類のアミノ酸でできています。しかし、人間の体内では11種類のアミノ酸しかつくることができません。残りの9種類を揃えるために、アミノ酸（たんぱく質）が必要なのです。

たんぱく質を多く含む食品

牛肉、豚肉、鶏肉などの肉類、アジやイワシなどの魚類、牛乳や乳製品、豆腐、納豆などの大豆製品、卵

骨と筋肉の主な材料

人間が生命を維持するうえで欠かせない「必須アミノ酸」は9種類。
毎日の食事の中で効率よくとるようにしましょう。

■ 体内でつくることができない「必須アミノ酸」は9種類

1 **イソロイシン**（成長を促進する）
2 **ロイシン**（筋肉の主原料になる）
3 **リジン**（免疫力を高める）
4 **メチニオン**（抗酸化物質を増やす）
5 **フェニルアラシン**（神経の伝達物質になる）
6 **スレオニン**（脂肪肝の予防）
7 **トリプトファン**（精神を安定させる）
8 **バリン**（筋持続力を高める）
9 **ヒスチジン**（成長を促進する）

必須アミノ酸を意識してとろう

体内で合成できないたんぱく質は9種類。これを「必須アミノ酸」といい、特にジュニアスポーツ選手にとっては、成長や筋肉に関係する大切な栄養素です。毎日の食事でしっかりとるようにしましょう。

■ たんぱく質を上手にとるためのポイント

Point1 たんぱく質の摂取量を知る

スポーツ選手の1日あたりのたんぱく質の摂取目安量は、体重1kgあたり1.5～2g。体重が60kgなら、1日90g～120gのたんぱく質が必要です。

Point2 動物性と植物性を組み合わせる

動物性たんぱく質は、栄養価が高い食品ですが脂肪が多く、植物性たんぱく質は、ヘルシーですがアミノ酸の量は動物性のものにかないません。両方を組み合わせてとるようにしましょう。

まとめ

- 朝食でたんぱく質をとることで、体温が上昇し体が目覚める
- 動物性と植物性のたんぱく質をとり、必須アミノ酸を揃える

20

ビタミンはどうとればよい？

さまざまな食べ物からビタミンを揃えることが大切

重要度 ★★★★★

ビタミンは、直接体をつくったり、エネルギー源になったりするわけではなく、ほかの栄養素の働きを手助けしています。ビタミンは体内でつくりだせないものもあり、それらは意識して食事から摂取する必要があります。

スポーツ選手に関係が深いのは、カルシウムの吸収を促進するビタミンD、糖質の代謝を助けるビタミンB1、脂質の代謝を助けるB2、体の酸化つまり疲労の回復を助けるビタミンA、C、Eなどです。ビタミンには肝臓に蓄積される脂溶性のものと、体内にとどまっている時間が短い水溶性のものの2種類があります。水溶性のビタミンB群、Cなどは体内に蓄えておくことができないので、特に毎回の食事で補う必要があります。

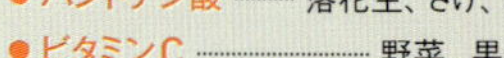

ビタミンを多く含む食品

- ビタミンA …… ウナギ、緑黄色野菜
- ビタミンD …… きのこ類
- ビタミンE …… オリーブ油、アボカド
- ビタミンK・ホウレン草、納豆、トマト
- ビタミンB1 …… ごま、のり、豚肉
- ビタミンB2 …… 肉、魚、卵、牛乳
- ナイアシン …… カツオ節、レバー
- ビタミンB6 …… イワシ、クルミ
- 葉酸 …… 緑黄色野菜、豆類
- ビタミンB12 …… サバ、肉、カキ
- ビオチン …… 卵黄、にしん、レバー
- パントテン酸 …… 落花生、さけ、卵
- ビタミンC …… 野菜、果物

ビタミンの働きを知る

ビタミンには摂取した栄養素の働きをサポートする役目があります。
1回の食事でできるだけたくさんのビタミンをとるようにしましょう。

ジュニアスポーツ選手が注目したいビタミンの働き

1 骨を強化する

ビタミンD

ビタミンDはカルシウムの吸収を促して、丈夫な骨をつくります。

2 体の酸化を防ぐ

ビタミンA・C・E

酸素を多くとり、紫外線を浴びる機会の多い選手の体を守ります。

3 代謝を促す

ビタミンB1・B2・B6

ビタミンB1は糖質、ビタミンB2は脂質、B6はたんぱく質の代謝を促します。

4 骨をつくる

ビタミンC

ビタミンCは、骨や靭帯の材料となるコラーゲンの合成成を助けます。

5 ケガの回復を早める

ビタミンC

骨や靭帯を丈夫にして、ケガを早く回復させる働きがあります。

6 血液をつくる

ビタミンB6・葉酸・ビタミンB12

ビタミンB6は赤血球を合成するときに欠かせないビタミンです。

7 瞬発力を高める

ビタミンB6

神経伝達物質をつくり、視神経や反射神経など神経の働きを高めます。

8 疲労感の回復

ビタミンB1

ビタミンB1が不足すると、エネルギーが発揮されず疲労感につながります。

まとめ

- 品数多く食べると、摂取できるビタミンの種類も多くなる
- 体内に留まる時間が短い水溶性のビタミンは毎食とる

ミネラルはどうとればよい?

ミネラルはいろいろな種類の食品からとろう

重要度 ★★★★★

ミネラルは、地球上では土と水だけ(大気中のミネラルは、水の蒸気によるもの)に含まれていて、人間にはもちろん、動植物にも決してつくり出すことができません。そのため、土から水を吸い上げて育った植物や、それらを食べて育った動物から得る必要があります。

私たちの体の中には40種類以上のミネラルが存在しています。栄養素は1種類では働きません。特にミネラルはほかのミネラルと力を合わせてはじめて働くようになります。**どれか1種類のミネラルをやみくもにとるのではなく、多くの種類を組み合わせること**が大切です。

加工食品や甘いもの、スナック菓子は控えて、いろいろな食品を食べることでミネラルが揃い、元気な体がつくられるのです。

栄養の基本

カルシウムや鉄を多く含む食品

ミネラルが不足すると体のさまざまな部分に不調が現れてきます。ミネラルの中でも特に意識してとりたいのがカルシウムと鉄分です。牛乳や小魚に多く含まれています。

カルシウムが豊富な食品

木綿豆腐、牛乳、ヨーグルト、しらす干し、ししゃも

鉄が豊富な食品

レバー、ひじき、あさり、かつお、ホウレン草、牛もも肉

ミネラルの働きを知る

体の中ではつくり出せないので食品からとる必要があります。
1種類に偏らず、いろいろな種類をとるようにしましょう。

不足しがちなミネラルとその働き

カルシウム

骨や歯の材料になる

骨や歯の材料になるほか、気持ちを落ち着かせる作用があります。不足すると骨折しやすくなります。

鉄

血液の材料になる

血液中のヘモグロビンの材料になります。不足すると、貧血を起こしたり、持久力が低下したりします。

そのほかの主なミネラルの働き

リン

骨と代謝に関わる

骨を形成するほか、炭水化物の代謝に関わり、不足すると骨が弱くなったり、だるくなったりします。

マグネシウム

骨と神経に関わる

骨を形成するほか、筋肉を収縮させて力を発揮し、神経の興奮を収める働きがあります。

ナトリウム

血液量を調整する

血液量を調整し、神経や筋肉の興奮を鎮める働きがあります。不足すると疲労感の原因になります。

カリウム

血圧と神経に関わる

血圧・神経・筋肉の働きを正常に保つ働きがあります。不足するとバテやすくなります。

まとめ

- 体内でつくり出せないミネラルはこまめにとる
- 不足しやすいカルシウムと鉄は特に意識してとる

水分はどうとればよい？

水分は第6の栄養素 適切な水分補給が肝心

重要度 ★★★★★

水分は、汗となって体温の調節を行う、体内で血液となって栄養を体のすみずみに運ぶ、尿や汗となって老廃物を排出する、細胞を満たす溶液となるといった役割を担っています。特にスポーツでは、汗で大量の水分が失われてしまいます。体の水分が不足した脱水症状になると、体温が上がりすぎてめまいや筋痙攣（けいれん）が現れたり、悪化すると熱中症になったりします。

のどが渇くのは、**体の水分が不足しているというサイン。運動前や運動中ものどが渇く前にこまめに水分を補給しましょう。**特に、運動中の補給については、吸収の早いスポーツドリンクがおすすめです。ノンカロリー、ローカロリーのものではなく、エネルギーが補給できるものを選んでください。

カラダのしくみ

スポーツドリンクの使い方

スポーツドリンクは吸収に優れたドリンクですが、糖質を多く含んでいます。運動中や発熱・下痢などの場合にのみ利用しましょう。甘い味が苦手な人は、水や麦茶などと併用しましょう。

運動前や運動中

糖濃度2～8％の飲み物

市販のスポーツドリンクは6％程度、運動中のエネルギー補給に優れています。

運動以外のタイミング

お茶、牛乳、豆乳、100％果汁など

水分以外に体作りに必要なたんぱく質、炭水化物、ミネラルが摂れるものを。

上手な水分のとり方

人間の体は子どもで約70%、成人で約60～65%が水分です。
水分が不足すると脱水症状を引き起こします。

体内での水分の働き

1 栄養を運ぶ	血液の8割は水分。体のすみずみに酸素と栄養を運んでいます。
2 老廃物を排出する	細胞の老廃物を汗や尿として体外へ排出しています。
3 体温を調整する	汗をかいて汗が蒸発することで、体温が上がりすぎないように調節しています。
4 細胞の溶液になる	細胞の7割が水分。細胞の一つひとつが水分で満たされています。

上手に水分をとるためのポイント

Point1 練習前に水分補給する

練習前の水分補給は250～500mlが目安。何回かに分けて飲むようにしましょう。

Point2 練習前後に体重を量る

日頃から練習前後に体重を量る習慣をつけて、水分補給の目安にしましょう。

Point3 のどが渇く前に水分補給

練習中の水分補給は、15～20分おきに100～200ml。とり忘れないようにしてください。

Point4 スポーツドリンクを飲む

運動中は、吸収がよく糖質やミネラル、アミノ酸が補えるスポーツドリンクがおすすめです。

Point5 水の温度は5～15℃

冷たすぎず、温かすぎない温度が適温。冷蔵庫で保管し、氷を入れずに飲みましょう。

まとめ

- 運動中は脱水状態を防ぐため、のどが渇く前に水分をとる
- 運動前の水分補給で、汗で失われる水分を補う

睡眠はなぜ大切?

成長ホルモンの分泌を促し 成長と疲労回復の効果あり

重要度 ★★★★★

成長ホルモンとは体内でつくられるホルモンの一種で、疲労を回復し、体の成長を促し、運動で壊れた筋肉を修復します。13〜17歳が最も分泌量が多く、年齢とともに減少していきます。

スポーツ選手としての体をつくるには、成長ホルモンの分泌を促す環境づくりが欠かせません。**成長ホルモンは、1日の約70%が睡眠中に分泌され、その内の70%が眠り始めの3時間以内に分泌されます。**そのため、睡眠の質を良くすることが重要です。睡眠中には消化器官も休んでいることが必要なため、睡眠の直前には極力食事を控えましょう。塾などで夕食が遅くなるときは、夕方と帰宅後の2回に分けて夕食をとるなどして、食事のとり方を工夫してください(P98参照)。

カラダのしくみ

スポーツ選手は眠るのもトレーニングのひとつ

日本人の平均睡眠時間は7時間14分という調査がありますが、アスリートの睡眠時間は平均8時間4分。体を動かす選手ほど積極的に睡眠をとっていることがわかりました。

スポーツ選手の平均睡眠時間

日本人の平均睡眠時間	7時間14分
スポーツ選手の平均睡眠時間	8時間4分

50分も睡眠時間が長い

上手な睡眠のとり方

睡眠中に分泌される成長ホルモンは、疲労回復効果もあります。
しっかりと眠るようにしましょう。

睡眠による体への効果

睡眠中には
成長ホルモンが
分泌される

成長ホルモンの働き

- 疲労を回復する
- 体の成長を促す
- 壊れた筋肉を修復する

上手に睡眠をとるためのポイント

Point1
睡眠の2～3時間前に夕食を終える
食べた物が胃に残っていると、寝ている間も消化器官が働くため、十分休息できません。

Point2
夕食が遅くなるときは2回に分けて食べる
1回目は夕方に主菜をたっぷり、2回目は消化のよいものをとりましょう（P98参照）。

Point3
早寝を心がける
疲労度が高いときは特に、睡眠時間を確保しましょう。

Point4
就寝前はブルーライトNG
ブルーライトは、脳が覚醒（又は興奮）し、眠りの質が落ちてしまいます。就寝前のスマホはNG。

Point5
就寝前にはカフェインはNG
お茶や栄養ドリンクなど、カフェイン飲料は避けること。温めた牛乳などがおすすめ。

まとめ

- できるかぎり同じ時間に就寝する
- 夕食が遅くなるときは2回に分けて食べる

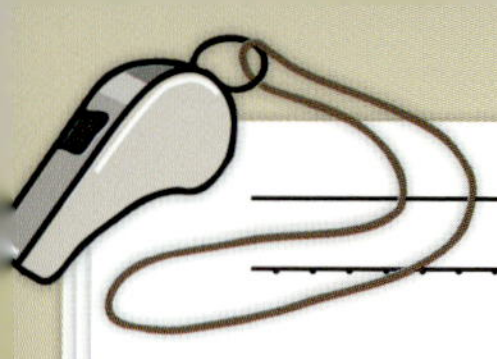

Column 3

グリコーゲン・ローディングで試合に向けた体づくりをする

糖質はグリコーゲンという物質に姿を変え、エネルギー源として筋肉や肝臓に貯蔵されます。運動をすることにより、このグリコーゲンが消費されます。人間の体には、一度エネルギーが枯渇すると前以上に蓄えようとする性質があります。この性質を利用して、試合前に通常よりも多くのエネルギーを蓄えるテクニックがグリコーゲン・ローディングです。

グリコーゲン・ローディングのやり方は、競技や指導者の方針などによりさまざまですが、以下の方法がオススメです。

試合の2週間前には、ゆっくりよく噛んで食べ、体調管理を行います。そして1週間前から本格スタート。前半の3日間はたんぱく質多めの食事で、体に「炭水化物がもっとほしい」と感じさせて貯蔵力を高めます。残りの3日間は炭水化物中心の食事に切り替えて、筋肉内にエネルギーを蓄える方法です（P131参照）。

グリコーゲン・ローディングの行い方

グリコーゲン・ローディングは試合の１週間前からスタート。前半の３日間はたんぱく質を多めにとり、後半の３日間は炭水化物を多めにとります。

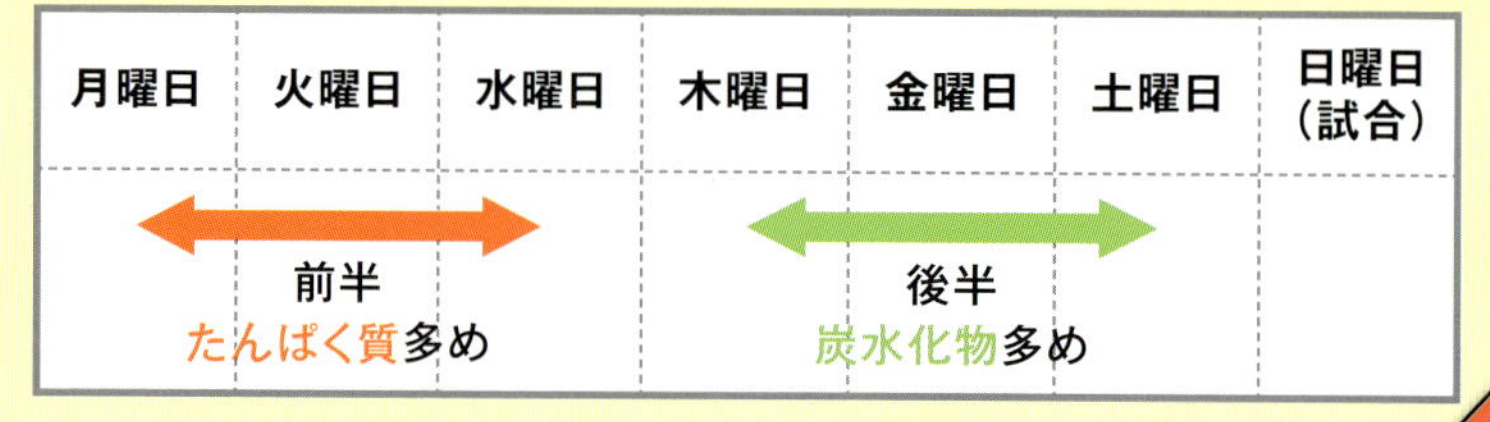

月曜日	火曜日	水曜日	木曜日	金曜日	土曜日	日曜日（試合）
前半 たんぱく質多め			後半 炭水化物多め			

Part 4

バランスのいい食事とは

「バランスのよい栄養を」
とは聞き飽きたと思う人もいるでしょう。
果たして正しく実践できているか、
この機会にチェックしてみてください。

24

上手に栄養をとるには？

なるべくたくさんの食材をとるようにしよう

重要度 ★★★★★

栄養素の働きについては3章で説明しました。この章では上手な栄養のとり方について、具体的に説明していきましょう。

成長期にあるジュニアアスリートが成長していくためには、ごはん、おかず、汁物、果物からさまざまな栄養素をとる必要があります。その際のポイントとしては、食材を組み合わせて、一度にさまざまな栄養素がとれるように工夫をすること。例えば、納豆にじゃこやゴマを振りかければ、スピードには欠かせないビタミンB群、マグネシウム、カルシウムが同時にとれることになります。

また、疲れたときは、どんぶり物や一皿料理ですませたくなりますが、ピラフやドリアなど一皿でさまざまな食材が使われているものを食べるといいでしょう。

OnePoint

煮る・焼く・生など調理法を組み合わせる

炒め物ばかりでは炒め油のとりすぎが気になります。煮物だけでは、煮汁に栄養素が溶け出して栄養価が下がることも。煮る・焼く・生など調理法に変化をもたせましょう。

献立の考え方

**献立の基本は、主食、おかず、汁物、果物の4つ。
それぞれの役割ととり方のポイントを説明しましょう。**

▣ できるだけ、食材の種類（ポイントに表示した）を揃える。

Point1 主食

ごはんやパン、めん類、いも類などの主食は、体を動かすためのエネルギー源となります。不足すると疲労の原因に。特に、朝食では主食をたっぷりとるようにしましょう。

Point2 おかず

おかずには、肉、魚、卵などのたんぱく質、ビタミンやミネラルの宝庫・野菜、同じくビタミンとミネラルがとれる海藻、きのこなどがあります。組み合わせてとりましょう。

乳製品
牛乳、チーズ、ヨーグルトなど

主菜
肉、魚、卵料理など

主食
ごはん、パン、めん類など

果物
リンゴ、みかん、いちごなど

副菜
野菜、きのこ、海藻など

汁物
野菜、きのこ、いも、海藻など

Point3 汁物

水分補給と同時に、さまざまな栄養素をとることができます。野菜や海藻、きのこ、豆腐などを入れた具だくさんの汁物にして、一度にたくさんの栄養素をとりましょう。

Point4 果物

果物はビタミンとミネラル、特にビタミンCが豊富に含まれています。また、果物に含まれる果糖からも糖質を補給することができます。朝食や練習前後、夜食に活用しましょう。

まとめ

● 食材の種類の豊富さが、栄養素の充実につながる

主食を上手にとるには?

食べた主食を確実に効率よく燃やそう

重要度 ★★★☆☆

主食には炭水化物が豊富に含まれています。炭水化物はエネルギー源になるだけでなく血糖値を維持し、集中力を高める役目も果たすので、練習中や試合中のパフォーマンスを上げるためにも欠かせません。特に心がけたいのは、朝食で主食をしっかりとること。その日のスタートに必要なエネルギーの供給源だからです。

炭水化物は、ごはんやパン、シリアルだけでなく、大豆以外の豆類やカボチャ、いも類などにも含まれています。組み合わせてとると、消化にかかる時間が変わるため、長時間動けるようになります。また、炭水化物の燃焼には、ビタミンB群やマグネシウムなどのほかの栄養素のサポートも必要です。その意味からも組み合わせて食べることが重要です。

栄養の基本

エネルギーを貯蔵・燃焼させる栄養を一緒に

主食に多く含まれる炭水化物をエネルギーとして効率よく貯蔵したり燃焼させたりするためにはビタミンやミネラルが必要です。食事の際には一緒にとることを心がけて。

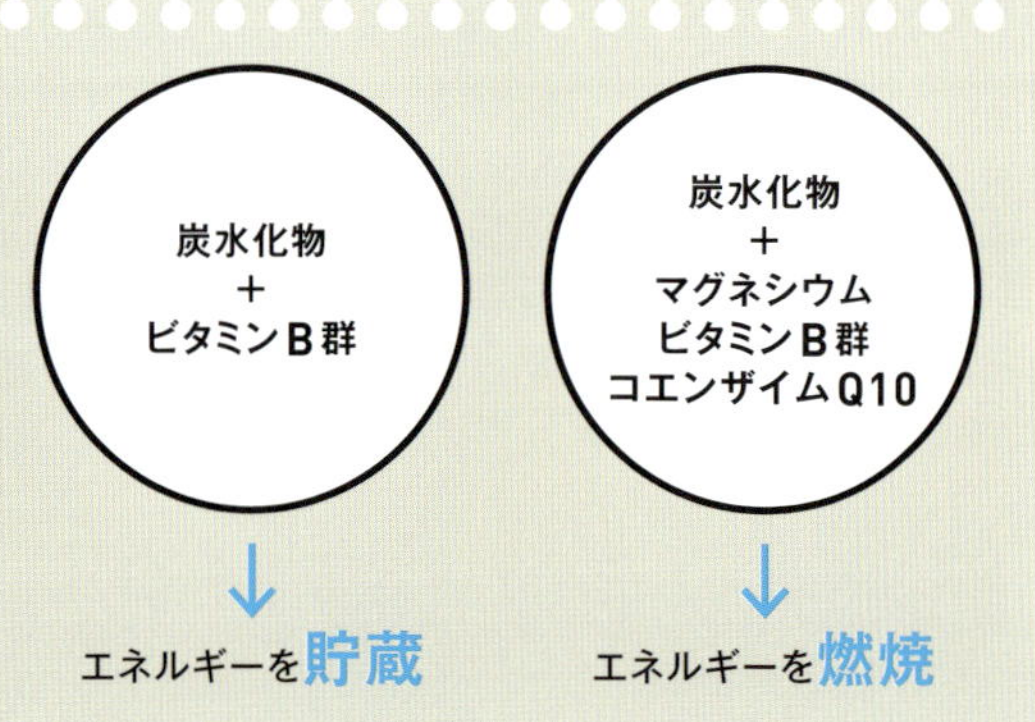

炭水化物の上手な選び方

さまざまな栄養素を含む炭水化物をとることがポイント。
エネルギーに変換されやすい食材を選びましょう。

ほかの栄養素も含む炭水化物を食べよう

白砂糖(上白糖)は、炭水化物は豊富でも、それをエネルギー源に変えるほかの栄養素を含みません。

食品100gあたり

	エネルギー	たんぱく質	脂質	炭水化物	カルシウム	マグネシウム	ビタミンB1	ビタミンB2	ビタミンC
上白糖	391	0	0	99.3	1	0	0	0	0
黒砂糖	352	1.7	0	90.3	240	31	0.05	0.07	0
はちみつ	329	0.3	0	81.9	4	2	0.01	0.01	0
えんどう豆	310	21.7	2.3	60.4	65	120	0.72	0.15	0
じゃがいも	59	1.8	0.1	17.3	4	19	0.09	0.03	28

参考:日本食品標準成分表2020年版(八訂)

主食を上手にとるためのポイント

Point1 消化時間を考えて主食を選ぶ

主食は消化時間＝エネルギーに替わる時間を考えて選びましょう。すぐに動けてスタミナ切れしないよう、主食がごはんなら副菜にマカロニサラダや粉ふきいもなど、炭水化物を組み合わせるとよいでしょう。

Point2 ビタミンB群は必ず一緒に

炭水化物をエネルギーとして貯蔵する働きのあるビタミンB群、エネルギーを燃焼させる働きのあるマグネシウムを意識してとりましょう。

まとめ

- 他の栄養素を含んだ炭水化物で栄養を効率よく吸収する
- 炭水化物とビタミンB群の同時摂取でエネルギーを貯蔵

おかずの上手なとり方は?

たんぱく質を中心に さまざまな栄養をとる

重要度 ★★★☆☆

肉や魚、卵、乳製品、大豆製品などのおかずは、成長期のジュニアたちの体づくりに必要なたんぱく質を豊富に含んでいます。肉だけ食べるのも魚だけ食べるのもいけない、といわれるのは、それぞれに含まれるアミノ酸が異なるからです。必要なアミノ酸を、ひとつの食品ですべて摂取することはできません。いろいろな種類のおかずを組み合わせることを心がけてください。また、たんぱく質を消化する酵素も、たんぱく質からできています。たんぱく質不足は胃腸の働きを低下させるので、しっかりとるようにしてください。

たんぱく質は、消化に時間がかかり、体力も消耗します。疲れているときには薄切り肉やひき肉など、消化しやすいものを選びましょう。

栄養の基本

食物繊維の働きも知っておこう

食物繊維には大きく2種類あり、不溶性食物繊維は、便秘を解消したり、腸内の有毒物を包み込んで排出する働きがあります。水溶性食物繊維には、余分な糖質やコレステロールの吸収を防ぐ働きがあります。

食物繊維の種類と働き

不溶性食物繊維	水溶性食物繊維
大豆、ゴボウ、いも、穀物など	海藻、リンゴ、こんにゃくなど
便のカサを増やして便秘を解消	余分な糖質やコレステロールの吸収を防ぐ

骨と筋肉の主な材料

主菜は肉・魚・乳製品・卵・大豆製品の5つに大きく分けられます。
重要なたんぱく質源であり、そのほかの栄養も摂取できます。

重要な「たんぱく質」源である主菜は主に5種類

動物性

肉
牛肉・豚肉・鶏肉などの肉にはたんぱく質が豊富に含まれています。ビタミンB群やAなどのビタミン類も多く含みます。

魚
たんぱく質のほか、ビタミン類やカルシウム、鉄、DHAやEPAといった良質な脂肪酸も含みます。

乳製品
牛乳、ヨーグルト、チーズにはたんぱく質やビタミン、ミネラルを多く含んでいます。

卵
卵には人間の体内でつくることができない必須アミノ酸がバランスよく含まれており、ビタミンやミネラルも豊富です。

植物性

大豆製品
たんぱく質をはじめ、ビタミンや食物繊維も豊富。ローカロリーなため、ウエイトコントロールの際に積極的に利用されます。

主菜の上手なとり方のポイント

Point1
複数のたんぱく質を組み合わせる
さまざまな種類のアミノ酸を取りたいので、いろいろな種類のおかずを食べましょう。

Point2
毎回たんぱく質を取り入れる
たんぱく質をたっぷりとりたいので、1日3度の食事と補食で、たんぱく質をとるように心がけてください。

Point3
同じ主菜をとり続けない
肉ばかりをとり続けて魚を食べない、といった偏ったとり方はNG。食材や調理法を変えてとりましょう。

まとめ

- 必須アミノ酸を揃えるためにいろいろなおかずをとる
- 疲労時は消化のよい薄切り肉やひき肉で胃腸の負担を軽減

27

副菜・果物のとり方は?

野菜は根・実・葉の部位を揃えて食べる

重要度 ★★★☆☆

野菜は、さまざまな食材の中でもビタミンやミネラルをふんだんに含んだ、優れた栄養の供給源となっています。

特に、ミネラルは地球上の動植物にはつくり出すことはできず、大地の土と水に存在しています。それを取り入れた動植物を食べることで、私たちはミネラルを摂取しているのです。

サラダやおひたしなどのおかずとして野菜を食べる際のコツは、根、実、葉の3つの部位をとるように心がけること。根には土から吸い上げたミネラルが、実には外の環境の変化から種を守る力が含まれています。葉は光合成でエネルギーをつくり出す力を持っています。すべての部位を揃えた〝植物の形〟で食べるようにしてください。

OnePoint

3つの加熱方法を使って野菜を上手に食べる

野菜の栄養素を無駄なく上手に摂取するために、根菜類などはコトコト加熱（煮物や汁物）で柔らかく・葉物野菜はさっと加熱（茹でや炒め）で量を食べやすく・そして新鮮な野菜は非加熱（生）で。

コトコト煮込む

煮物、汁物、シチュー　など

さっと加熱

炒め物、和え物　など

非加熱

サラダ　など

副菜・果物の上手なとり方

農林水産省の「食事バランスガイド」によると、副菜とは、ビタミン、ミネラル、食物繊維の供給源のこと。たっぷりとりましょう。

野菜と果物、種実からとれる栄養素

野菜

ビタミンやミネラルがふんだんに含まれており、体調管理に欠かせません。毎日の食事でたっぷりとりましょう。

果物

ビタミン、ミネラルが豊富。食後のデザートやおやつとしてとるといいでしょう。

種実

一般的にナッツ類と呼ばれる、かたい皮や殻に包まれた食用の種子・果実のこと。ビタミンやミネラルの宝庫。

野菜はいろんな部位を食べる

根

ごぼう、にんじん、大根、じゃがいも　など

実

ピーマン、トマト、トウモロコシ、なす　など

葉

白菜、キャベツ、ニラ、ホウレン草、小松菜　など

まとめ

- 他種類のミネラルをとるために野菜は部位を揃えて食べる
- 果物やおやつをデザートにしてミネラルをとる機会を増やす

28

乳製品や海藻、きのこ、乾物のとり方は？

主食やおかずにプラスして積極的にとる

重要度 ★★★☆☆

乳製品や海藻、きのこ、乾物にもまた、ビタミンやミネラル、食物繊維がふんだんに含まれています。

乳製品はたんぱく質とカルシウム、ビタミンB群が豊富。牛乳は水分補給としても。ヨーグルトは腸の働きを高めて、便秘予防に効果的。チーズは持ち運びしやすいので、補食として利用しましょう。

海藻は、カルシウム、リン、亜鉛、ヨードなどのミネラルが多く、食物繊維も豊富。ローカロリーなので体脂肪を減らしたいときには上手にとりたい食品です。きのこもローカロリーで食物繊維、ビタミンB群、ビタミンD_2、ミネラルなどを多く含みます。しらす、じゃこ、干しエビといった乾物もカルシウムなどのミネラルが豊富です。

自分だけの「ふりかけ」をつくろう

不足しがちなミネラルを補給するために、ふりかけを手づくりしてはいかがでしょう。材料をフードプロセッサーなどで軽くくだくだけ。ごはんやサラダにかけていただきます。

ごはんに

ごま、青のり、カツオ節、ちりめんじゃこ、桜エビ　など

サラダに

クルミなどのナッツ類、レーズンなどのドライフルーツ

乳製品・海藻・きのこ・乾物のとり方

ビタミンやミネラルが豊富な乳製品・海藻・きのこ・乾物に注目！
不足しがちな栄養素を効率よくとろう。

乳製品、海藻、きのこ、乾物の栄養価について

乳製品

牛乳、チーズ、ヨーグルトはたんぱく質のほかカルシウムが豊富。牛乳を飲むとおなかがゆるくなる人は、ほかの食品でカルシウム補給を。チーズはいつも持ち歩いて補食として利用しましょう。

海藻

海藻には、カルシウム、リン、亜鉛、ヨードなどのミネラル、食物繊維が豊富です。ローカロリーなので体脂肪を減らしたいときなど、ダイエットの強い味方。サラダや汁物に入れて、積極的にとりましょう。

きのこ

食物繊維やビタミンB群、ビタミンD2、ミネラルを豊富に含んだローカロリー食品です。野菜と一緒に炒めたり、サラダやパスタに入れたり、炊き込みごはんの具にしたりと、できるだけ食事でとるようにしましょう。

乾物

しらすやじゃこ、干しエビなどの乾物は、ごはんや納豆、冷や奴などに乗せて食べるのがおすすめ。ドライフルーツや海苔、ひじきなども乾物の一種。ビタミンやミネラルが豊富なので、積極的にとりましょう。

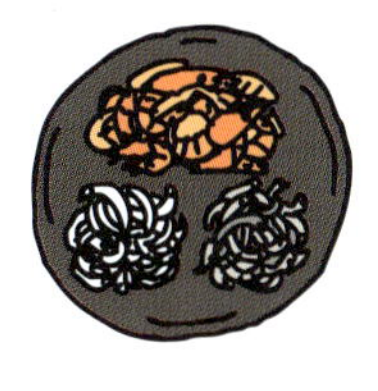

乳製品を上手にとるポイント

Point1 牛乳が苦手な人は料理に使って

牛乳を飲むとおなかが痛くなるという人は、温めて飲んだり、シチューに加えるとおなかがゆるくなるのを防ぐことができます。

Point2 乳酸菌が含まれているものを選ぶ

ヨーグルトの中には乳酸菌が少なく、寒天で固めただけのものもあるので、乳酸菌の名前がしっかり書かれたものを選ぶこと。

Point3 チーズは補食としても最適

持ち運びに便利。塩分が含まれているため、トレーニング後の補食としても最適です。

まとめ

- 海藻、きのこ、乾物はどれか1種でも毎日とるようにする
- 小魚には不足しがちなカルシウムが豊富。積極的にとる

29

補食のとり方は?

3食では不足する栄養を間食として補給する

重要度 ★★★★☆

間食と補食の意味は、ほぼ同じです。間食というとおやつのイメージが強く、チョコレートやスナック菓子などを想像します。お菓子の成分はほぼ炭水化物と脂質なので、とりすぎはよくありません。ただし、スポーツをするジュニアたちは多くの栄養を必要とすることから、間食を上手に利用しましょう。3食の栄養素摂取を補う食＝補食としてとらえるとよいでしょう。

毎日3食の食事を十分にとり、それでも不足する分を補うためのものです。おにぎり、サンドイッチ、果物、牛乳、ヨーグルト、ドライフルーツなどが栄養のバランスからみても消化の面でも補食にふさわしく、運動前と運動後にとってエネルギー補給や疲労回復に利用します。

栄養の基本

補食でもふりかけをトッピングして栄養アップ

市販のおにぎりに手づくりのふりかけ（P72参照）をかけたり、市販のサンドイッチにスライスチーズをはさんだりするのもおすすめ。ヨーグルトはシリアルやくだいたナッツやドライフルーツを一緒にとると、さらに栄養価がアップします。

補食にプラスアルファ

サンドイッチ＋チーズ

おにぎり＋ふりかけ

ヨーグルト＋シリアル、ナッツ、ドライフルーツ

補食の上手なとり方

補食とは、1日3食の食事だけでは不足する栄養を補給する間食のこと。食事の時間があいたときは、補食でエネルギーを補給しましょう。

補食としてとりたいもの

おにぎり

パンなどに比べると腹もちがよく、持ち運びにも便利なため、補食としてはピッタリです。栄養価が高い具を選ぶとよいでしょう。

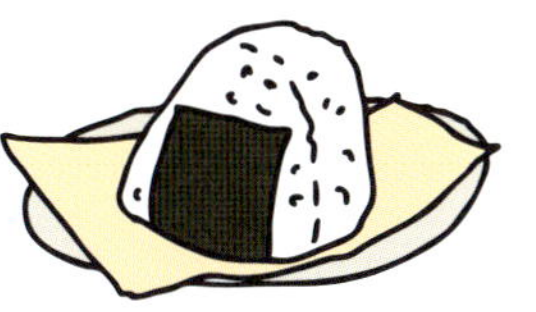

乳製品

ヨーグルトやチーズも補食には最適。たんぱく質と不足しがちなカルシウムを補うことができます。牛乳は、サンドイッチなど補食の際の飲み物におすすめです。

サンドイッチ

具には、ハムやチーズ、チキンなどたんぱく質が多い食品を選びましょう。100%オレンジジュースなどと一緒にとって、ビタミンCも補給を。

果物

果物には、糖分のほか、ビタミンやミネラルが豊富。疲労回復効果のあるビタミンCが含まれるみかんなどの柑橘類は特におすすめ。

補食は「おやつ」とは違います

チョコレートやポテトチップスなどのスナック菓子や菓子パンなどは、できるだけ避けたいもの。というのも、炭水化物と脂肪以外の栄養分がほとんどとれないからです。どうしても甘い物が食べたいときは脂肪が少ない干しいもや干し柿などのドライフルーツをとりましょう。

まとめ

- 海藻・きのこ・乾物は、どれか1種でも毎日撮るようにする
- スナック菓子や菓子パンは栄養が偏るため避ける

水分のとり方は?

トレーニング前・中・後にしっかりと補給しよう

重要度 ★★★★★

トレーニングでは、汗によって大量の水分が体から失われて、汗とともに塩分やミネラルが流れでてしまいます。また、多くのエネルギーが失われ、筋肉が傷つきます。そのため、練習前と練習中の飲み物と、練習が終わったあとの飲み物は分けて考える必要があります。

練習前と練習中は、スポーツドリンクでの水分補給をおすすめします。単なる水では運動中に必要な糖質やビタミン、ミネラルが補給できないからです。また、動いている体でも負担なく水分の吸収ができます。

練習後は、水分を補給しながらエネルギーを回復し、傷ついた筋肉を回復できるプロテインやアミノ酸飲料がおすすめです。

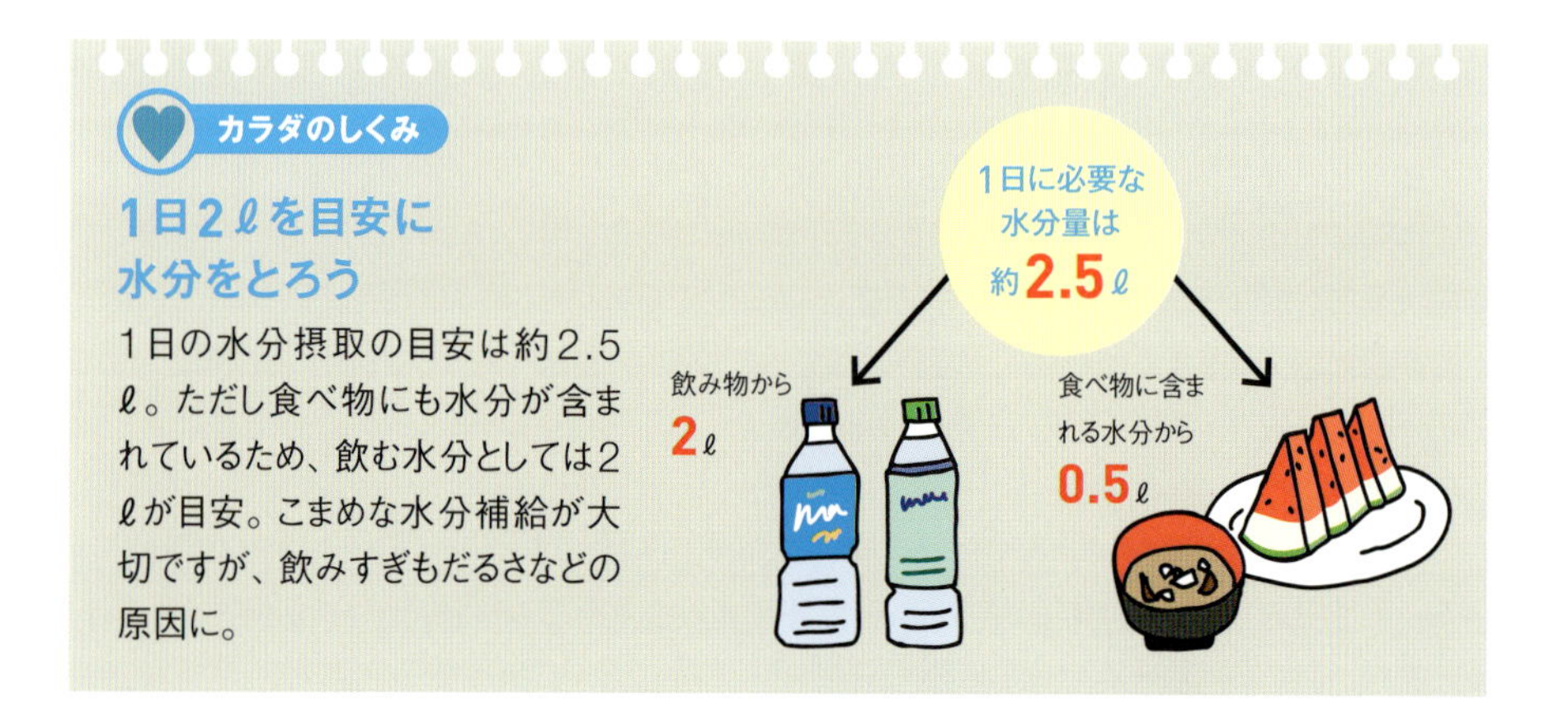

カラダのしくみ

1日2ℓを目安に水分をとろう

1日の水分摂取の目安は約2.5ℓ。ただし食べ物にも水分が含まれているため、飲む水分としては2ℓが目安。こまめな水分補給が大切ですが、飲みすぎもだるさなどの原因に。

水分の上手なとり方

練習の前と練習中には、たっぷりと水分補給する必要があります。
練習後は水分補給とともにエネルギーが補給できる飲み物を。

練習前・中・後の水分補給について

吸収しやすい水分	=	水分＋糖（糖度3～5％）＋塩分（塩分濃度0.1～0.2％）

トレーニング前 ＝ スポーツドリンク

- **練習30分前までコップ1～2杯の水分補給**
  練習を始める30分前までにコップ1～2杯程度（250～500ml）飲みましょう。
- **何回かに分けて飲む**
  練習前の水分補給は、1度に飲みきれないので、何回かに分けて飲みましょう。
- **スポーツドリンクがおすすめ**
  運動中に必要になる糖質やビタミン、ミネラルが、水分と一緒にとれます。

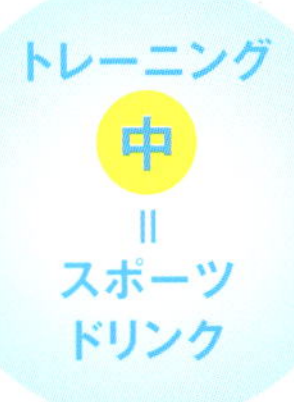

- **飲むタイミングは15分に1回が目安**
  体重の2％以上の水分が失われると脱水症状を起こします。
- **1回に飲む量はコップ半分～1杯**
  水分は小腸で吸収されます。小腸まで届くには100～200cc程度の量が必要です。

トレーニング後 ＝ リカバリードリンク

- **糖分とたんぱく質が一緒にとれる飲み物を**
  水分補給とエネルギー補給のために、プロテインやアミノ酸飲料などをとりましょう。
- **20分以内にとる**
  運動後の疲れた体に負担をかけないよう、吸収しやすい液体がいいでしょう。
- **果汁100％のオレンジジュースもおすすめ**
  糖質とビタミンC、クエン酸が同時にとれる果汁100％ジュースもおすすめです。

まとめ

- **吸収されやすいスポーツドリンクは練習前と練習中に最適**
- **練習後20分以内の糖分とたんぱく質の摂取で体力を回復**

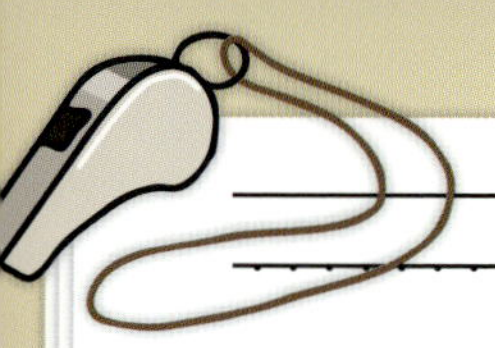
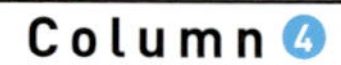

Column 4

サプリメントは目的を持って使う

サプリメントとは、粒状、ゼリー状、飲料など、いわゆる機能性食品・飲料のこと。スポーツでは、サプリメントを2つに分けて考える必要があります。

まず、日常の食事で不足しがちな栄養素を補足する目的のもの。3回の食事だけではとりきれない分を補うためのもので、鉄分やマルチビタミンの錠剤、プロテインなどがあります。もうひとつが競技のパフォーマンスを向上するために、運動前・中・後に水分補給と栄養補給を目的にとるもの。このときとるサプリメントはトレーニングの一環、と考えればわかりやすいかもしれません。サプリメントを選ぶコツは、日常で用いるものは、含まれる量より種類の多いものを選ぶこと。ビタミンやミネラルはマルチビタミン、マルチミネラルがおすすめです。競技中のサプリメントは、濃度や飲む量が明記されているものを選びましょう。

サプリメントは２つに分けて考える

不足しがちな栄養をとる	トレーニングの一環としてとる
マルチビタミン、プロテイン、鉄分	● 運動中の水分補給 ● 運動直後の栄養補給
選び方のコツ	**選び方のコツ**
ビタミン・ミネラル剤は、量が多いものよりも含まれている種類が多いものを選ぶ。	パッケージに飲む量、濃度が明記されているものを選ぶ。

Part 5

効率よく体をつくる食事法

1日3食の食事は、
体や脳を動かすうえでの重要な栄養源です。
食事の内容や量、
タイミングもよく考えてとりましょう。

1日の食事のとり方は？

競技で結果を出すために日々の食事に気をつけよう

重要度 ★★★☆☆

朝昼晩の三度の食事にはそれぞれに意味があり、何のためにその食品をとるかをよく知ったうえで食事をすることが大切です。例えば必ず朝食をとる習慣が身についている選手は体も大きく、集中力が高く、太りにくい体質にあることがさまざまな調査結果で証明されています。

日々の食事は、最終的には、試合で最高のパフォーマンスを発揮することが目的です。通常のトレーニング時の食事、試合が近づいた時期の食事、当日の栄養補給など、状況や自分の体調に合わせて臨機応変に組み立てられる応用力が必要です。

遠征する機会が多い選手は、家庭以外でもベストの食材が選べる知識が必要です。

OnePoint

遠征のときに持っていくおすすめ補食

遠征先では緊張感も高まりがちになります。そんなときはチーズやナッツなどいつも食べているものを補食に選ぶと気持ちも落ち着きます。手作りしたふりかけ（P74参照）を持参するのもいいでしょう。

アウェイでも緊張せずに過ごすコツ

Point いつも食べているものを選んで、アウェイでもホーム気分で！

① 自宅から食べ物を持参する
チーズやナッツ、手作りふりかけなどいつもの食品を買う

② コンビニでいつものものを
コンビニで買うならいつも選んでいる果汁、ヨーグルトなど

3食＋補食のとり方

スポーツ選手にとって、パフォーマンスの成果を左右する重要な要素。
1食ごとの意味をよく理解しましょう。

1日の食事の考え方

朝食
体を目覚めさせる

朝食抜きはNGです。目覚めたばかりの頭と体を活発にさせるために炭水化物だけではなくたんぱく質もしっかりとりましょう。

昼食
午後のエネルギー

午後の授業や部活動のためのエネルギー源となります。昼こそ、たっぷりと栄養をとりましょう。単品メニューにならないように注意して（P88参照）。

夕食
疲労を回復

夕食は、就寝の3時間前が理想ですが、難しい場合は2回に分けて、2回目は消化のよいものにするのがポイントです（P90参照）。

＋

補食
不足分を補う

食事ではとりきれなかった栄養を補うのが補食です。ジュニアの場合は、運動に必要な栄養に加えて、成長のための栄養が必要です（P92参照）。

まとめ

- 試合で勝つために必要な栄養を自分で選ぶ

朝・昼・夕、3食の組み立ては?

体のコンディションに合わせてメニューを決める

重要度 ★★★☆☆

1日の食事は、基本は3食。体を目覚めさせてその日をスタートさせるための栄養をチャージするのが朝食、午後の授業や部活動のためにたっぷりとエネルギーを補給するのが昼食、疲労を回復させて明日の体をつくるのが夕食です。この3食で不足する栄養を補給するのが補食です。

食事で大切なことは、自分の体に今何が不足していて、何を強化したいのかを考え、それに必要な栄養をとることです。持久力をつけたいときと筋力を高めたいときでは、トレーニング内容が異なり、当然、必要な栄養も違ってきます。

つまり、「理想の食事」は、選手一人ひとりのそのときの状態によって違うのです。まずは、自分の体の状態を把握しましょう。

OnePoint

トレーニング内容を把握することが肝心

毎日の献立では、トレーニング内容を把握し、それに必要な食事をとることが大切です。また、トレーニングで減少した栄養素をしっかりと補給することを心がけましょう。

トレーニング内容を把握する
持続力系か、筋力系か瞬発力系か?

受けたダメージを把握する
どんな栄養が消費されたか調子はどうか

食事メニューを考える
目標達成に必要な栄養素を積極的にとる

トレーニングと食事の関係

トレーニング内容や体の状態によって、必要とされる栄養は違います。
選手の状態に合わせて組み立てることが大切です。

まとめ

- トレーニング内容から食事メニューを考える力を養う
- 体の状態に合わせて食事内容を変える

基本の朝食は?

1日の始まりにできるだけたくさん食べるのが理想

重要度 ★★★☆☆

野菜ジュース一杯だけ、シリアルに牛乳をかけただけ、といった朝食はスポーツするジュニアにはおすすめしません。なぜなら、スポーツ選手は1日に一般人の1.5〜2倍ほどの栄養を必要とします。朝食を軽くすると不足した分を昼食と夕食で補わなければならず、十分にとれない場合には栄養不足になります。また、夕食が多いと就寝中も消化のために胃腸が働いて、良質な睡眠を防げる原因になります。

特に朝食では、炭水化物とたんぱく質をしっかりとることが必要です。体は、胃腸に食べ物が入ると活発に動き始めます。炭水化物は脳のエネルギー源となり、たんぱく質は体温を上げ、活動のスイッチを入れます。脳と体を素早く目覚めさせるためにも、しっかり朝食をとりましょう。

OnePoint

朝食を食べない人は少しずつ習慣にしよう

朝食をとると、消化器官が働いて、体全体を目覚めさせる働きがあります。朝食をとる習慣がない人は、少しずつでよいので食べる習慣を身につけるようにしましょう。

朝食週間を身につけるためのステップ

まずはコップ1杯の水を飲むところから始め、少しずつ固形物を食べるようにしていきましょう。

- STEP 1 コップ1杯の水を飲む
- STEP 2 果汁100%のジュースを飲む
- STEP 3 フルーツヨーグルトを食べる
- STEP 4 シリアルとヨーグルトを食べる
- STEP 5 ごはんやパンを食べる

朝食の食べ方の基本がわかる

朝食を食べなかったり、食べたとしても量が少ないのはNG。
朝食の意味をしっかり理解しましょう。

朝食の基本は、炭水化物とたんぱく質をたっぷりと

脳と体を目覚めさせる炭水化物を

朝食は、エネルギーになる炭水化物を中心に、できるだけたくさんの栄養をとるように心がけましょう。

時間があるとき

時間がある場合は、炭水化物以外にもおかずやサラダなど、できるだけたくさんの種類をしっかりたくさん食べましょう。よく噛んで食べれば脳を目覚めさせる効果も高まります。

時間がないとき

朝練などで朝食のあとすぐに体を動かすなら、練習前にはおにぎりや野菜ジュース、果物などの消化のよいものを食べ、練習後にもう一度食べるなどして、2回に分けてとるのもいいでしょう。

朝食にプラスしたい食品

ごはんなら

- 卵かけごはん
- 具だくさんみそ汁
- 焼き鮭　●焼きのり
- しらす、ちりめんじゃこ
- 納豆
- 野菜ジュース

パンなら

- ハムエッグ
- 野菜サラダ
- 果汁100%ジュース
- ヨーグルト
- チーズ

シリアルなら

- 牛乳またはヨーグルト
- 卵料理
- ツナサラダ
- 野菜ジュース

シリアルは玄米やドライフルーツが入ったタイプを選ぶのがおすすめ。

まとめ

- 朝食は炭水化物とたんぱく質をとり、体と脳を目覚めさせる
- 時間がない時は朝食を2回にわけ、エネルギー不足を予防

基本の昼食は？

午後の練習に備えてエネルギーをフル補給する

重要度 ★★★☆☆

学校に通うジュニアたちの本格トレーニングは午後に集中します。昼食はそこで必要なエネルギーを補給するためにしっかりと食べましょう。うどんだけ、牛丼だけといった単品メニューにならないよう、おかずやサラダなどを組み合わせてください。たんぱく質が足りないときは、牛乳やヨーグルトを、野菜が足りないときは野菜ジュースをプラスしましょう。昼食ではめん類を選ぶケースも少なくありませんが、めん類は、ツルツルッと飲み込まず、よく噛んで食べること。また、時間があるときは昼寝をするのもいいでしょう。30分目を閉じるだけで体がしっかり回復します。一流アスリートの中にも昼寝を習慣にしている人は少なくありません。

OnePoint

揚げ物は、揚げたてのものを選ぶこと

揚げ物は、素揚げ→唐揚げ→天ぷら→フライの順で脂肪分が高くなります。選ぶ際には脂肪のとりすぎにならないように注意して。また、油は酸化が早いので、揚げたてのものを選びましょう。

揚げ物を選ぶときのコツ

フライよりは**素揚げ・唐揚げ**

時間のたったものは**NG**

昼食の食べ方の基本がわかる

昼食は午後の授業や部活で頭と体を働かせるための栄養源。
栄養の偏りがないようにしっかり食べましょう。

昼食はいろいろな食品をたくさんとる

午後の授業と部活のエネルギー補給を

外食でもコンビニでも、幕の内弁当のように、さまざまな種類のおかずがとれるものを選びましょう。

昼食後に時間があるとき

昼寝など体を休めることもおすすめ。アスリートの中にも昼寝をする人は少なくありません。目を閉じて横になるだけでも、体の回復力が違います。

時間がないとき

昼食後にすぐ練習がある場合、油脂分が少なく、消化のいいものを選びましょう。めん類も、よく噛んで食べることで吸収率もアップします。

昼食を上手にとるポイント

Point1 外食なら定食を選ぶ

ランチの定食にはメインの主菜のほかに小鉢がついていることが多く、栄養バランスの面からもおすすめ。

Point2 コンビニでは幕の内弁当を

さまざまなおかずが入った幕の内弁当がおすすめ。サラダや野菜ジュースを追加するのもよいでしょう。

Point3 めん類には野菜をプラス

ラーメン＋餃子や野菜の多いタンメンを選んで。そばやうどんも食後に野菜ジュースを飲むなどして栄養を補って。

Point4 飲み物は牛乳や野菜ジュースを

炭水化物と脂質中心になりがちなので、食後、コンビニなどで牛乳や野菜ジュースを購入して飲むとよいでしょう。

Point5 ふりかけ持参で栄養価アップ

昼食はビタミンとともにミネラルも不足しがち。手作りのふりかけ（P74参照）を持参するのもいいでしょう。

まとめ

- 昼食は多種類の食品をとり、午後のエネルギーを補給

基本の夕食は？

時間が遅くなったときは消化のいいものを食べる

重要度 ★★★★☆

朝起きたとき、あなたは空腹感を感じますか？　あまり食欲がないと感じるなら、その理由は、前日の夕食がまだ消化しきれていないせいかもしれません。そのため、朝、目覚めても体が空腹を感じず、そのために食欲もわかない状態になっている可能性があります。

そんなときには、夕食を減らしてみるのもよいでしょう。あるいは、夕食を2回に分けて、2回目は消化のよいものをとります（P98参照）。

理想は、胃腸への負担を考えると、就寝の3時間前まではすませておきたいもの。とはいえ、現実には、それが可能な人は少ないでしょう。夕食は、消化活動で体が休まらない、といったことのないように、**睡眠を妨げないことを第一に考えます。**

OnePoint

遅い時間に夕食をとるときは

練習や習いごとなどのスケジュールによっては、就寝の3時間前までに夕食が摂れない事もあるでしょう。遅い時間に夕食をとるときは、消化しやすく胃腸に負担の少ない物を選ぶのがポイントです。

夕食の食べ方の基本がわかる

夕食で、日中に消費した栄養を補足しましょう。
明日からのエネルギーをチャージして体をつくる役割があります。

夕食は胃腸に負担をかけないことを最優先に

疲労を回復する栄養を意識してとる

最優先は、就寝中、消化に体力を使われないこと。疲労回復効果のある栄養素を中心に。

時間があるとき

本来は就寝の3時間前にとるのが理想。夕食では消化に時間のかかる油物は控えめにして、それ以外の栄養素をとるようにします。

時間がないとき

部活のあとに塾に通っているなど早い時間に夕食がとれない人は、夕食を2回に分けてもOK。2回目の夕食は消化のよいものを選んで。

夕食を上手にとるポイント

Point1 炭水化物でエネルギー回復

トレーニングによって枯渇したエネルギーを炭水化物でしっかり補給しましょう。

Point2 たんぱく質で筋肉の修復

傷ついた筋肉を補修し、強化するために、肉、魚、大豆製品などをしっかりとりましょう。

Point3 なるべく早く夕食をとる

遅い時間にたくさん食べると、睡眠の質を低下させ、回復や成長に悪影響を及ぼします。

Point4 不足している栄養素の補給

朝食と昼食で不足した栄養素を夕食で補います。特にビタミンとミネラルを意識してください。

Point5 疲労を回復し翌日に備える

梅干しやレモン、みかんなど、疲労回復に効果を発揮するクエン酸を積極的にとりましょう。

まとめ

- 疲労回復効果のある食品を優先してとり、体力の回復を
- 睡眠を妨げないように消化のよいものを食べる

36

トレーニング前・後の栄養摂取は？

体に負担をかけずに必要な栄養をとる

重要度 ★★★★☆

スナック菓子や菓子パンには糖質と脂質以外の栄養素はほとんど含まれていませんから補食としてはＮＧです。

トレーニング前の補食は消化時間を考えて選びます。おにぎりなど固形のものは開始の１時間くらい前までにとります。開始までに空腹を覚えたときには、果汁１００％ジュースや消化のよいエネルギーゼリーなどを利用します。

トレーニング後は20分以内に運動で失われた水分、糖質、たんぱく質を補います。いきなり固形のおにぎりなどを食べるのは胃腸に負担を書け、体力を消耗します。

まずはリカバリー用のドリンクや果汁などの液体をとりましょう。

OnePoint

運動直後の炭水化物とたんぱく質は3：1の割合

運動直後の栄養補給は、失われたエネルギーを補給された炭水化物と、筋肉補修のためのたんぱく質を同時摂取しましょう。その割合は、炭水化物3に対してたんぱく質１が理想とされています。

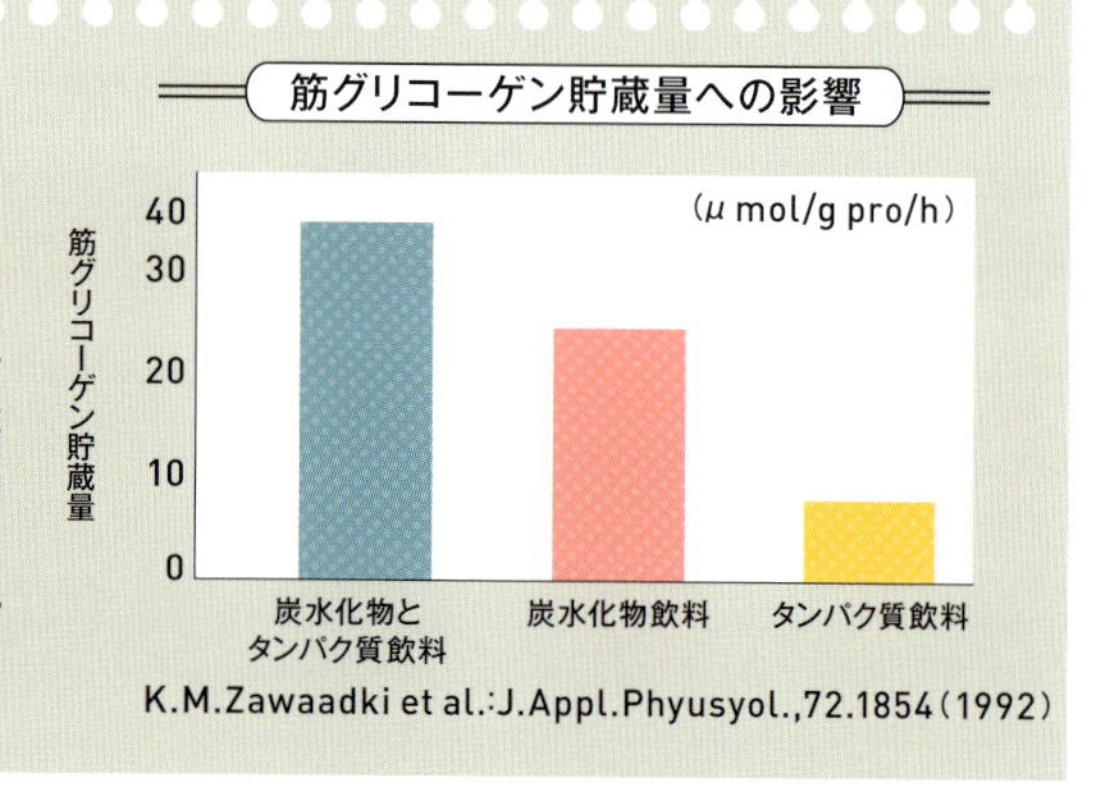

トレーニング前と直後の栄養摂取

胃腸に負担をかけないことがポイントです。
練習中の栄養補給についてはP78参照。

基本的なトレーニング前と直後の栄養摂取方法

トレーニング前

炭水化物（糖質）中心

固形の補食はトレーニングの1時間くらい前にとる。それ以降におなかが空くようならジュースやエネルギーゼリーなどで補給を。

消化に時間のかからないものを選ぶ

梅干しのおにぎりやサンドイッチなど、消化に時間のかかる脂肪分が少ないものを選びましょう。バナナなどもおすすめです。

スナック菓子は食べないこと

菓子パンやポテトチップ、チョコレートなど、脂肪分が多いものはNG。また、ツナサンドなど、マヨネーズやバターの多いものも避けましょう。

トレーニング直後

水分＋たんぱく質＋炭水化物

トレーニング直後は、液体がベスト。20分以内にたんぱく質＋糖質を同時摂取して、エネルギーを回復し、筋力をアップ。

トレーニングによるダメージを回復

果汁100％ジュースなど、水分補給も同時にできる液体のものがおすすめ。アミノ酸入りのゼリー飲料はゆっくり噛んでとるのがコツ。

いきなり固形物をとらないこと

おにぎりやパン、バナナなども補食に使われますが、トレーニング直後は消化に時間がかかる固形物は避け、液体からとるのがおすすめです。

まとめ

- 固形物は練習1時間前までにとり、消化に体力を使わない
- 練習直後は炭水化物：たんぱく質を3：1の割合で液体でとり疲労回復を速める

37

コンビニ・外食の利用法

幕の内弁当のように多品目がとれるものを選ぶ

重要度 ★★★★☆

ファミリーレストランやコンビニ、ファストフードは、スポーツするジュニアの世代にはとても身近なものです。利用する機会も多いので、何を選ぶかについても注意する習慣をつけましょう。

おにぎりだけ、といった一品主義は禁物で、おひたしやおでんなどの副菜をつけます。可能な限り幕の内弁当のようにたくさんのおかずが入ったものを選びます。

飲食店では、できるだけ小鉢の数の多くついた定食などのメニューを注文します。それでも足りない栄養素については、ひじきや豆腐、おひたしなどのサイドオーダーで補う意識を持ちましょう。意識して、日常生活を送り、習慣にすることが大切。この積み重ねがアスリートとしてとても大切です。

OnePoint

外食でも栄養が偏らないメニュー選びのコツ

外食には、野菜が少ない、栄養が偏る、脂肪・塩分が多いといった欠点があります。外食するときはこれらの点に注意しながら、サブメニューを追加するなどして偏った栄養を補うようにしてください。

外食のデメリット

- 栄養が整わない
- 野菜が少ない
- 油脂が多い
- 塩分が多い

外食で選びたいメニュー

外食ではどうしても栄養が偏りがちになってしまいます。
サプメニューを１品追加することでバランスをとりましょう。

外食で選びたいメニュー

ファミレスなら

どんぶり物やスパゲティなどの単品ものよりは、おかずが何品かついているものを選ぶとよいでしょう。単品ものを選ぶときはサラダやおひたしなどの野菜のとれるサブメニューを追加してください。

コンビニなら

唐揚げ弁当や牛丼などの食品数が少ないものより、幕の内弁当のようにたくさんのおかずがあるものを選びましょう。カップ納豆やサラダなども一緒にとると栄養バランスの観点からもおすすめです。

ファストフードなら

ファストフードのメニューは、炭水化物と脂質に偏りがちです。サラダや果汁100％ジュースなどを一緒にとりましょう。それでもまだ不足するので、食後に牛乳や野菜ジュースで補うとよいでしょう。

外食でプラスしたい注目メニュー

１～２品を追加することで、栄養バランスの偏りが解消されることがあります。覚えておくとよいでしょう。

コンビニ

サラダ、ゆで卵、おでん、野菜ジュース、果汁100％ジュース、ヨーグルト　など

外食

サラダ、餃子、果汁100％ジュース　など

まとめ

- 栄養が偏りがちになるので、サラダやおかずを追加する
- 幕の内弁当など品数の多いものを選び、栄養の偏りを防ぐ

38

季節に合わせた栄養のとり方は？

季節ごとの免疫力アップを考える

重要度 ★★★★☆

季節によって、体のコンディションは変化します。また、体温を一定に保つためのシステムも変化していきます。例えば、冬は体の中で熱をつくり出そうとする働きが強くなります。一方、夏には、体から熱を放出しようとします。

こうした体のシステムが働きやすいように、季節ごとに栄養のとり方にも工夫が必要です。この際に注目したいのが、旬の野菜や果物です。その季節に必要な栄養素を含んでいるものが多く、1年中店頭に並んでいるような野菜や果物でも、本来の旬の季節になると、栄養価が高まるのです。

季節の変わり目になると体調をくずすのは、スポーツ選手に限ったことではありません。日頃から季節に応じた健康管理を行いましょう。

OnePoint

旬の食材には栄養がいっぱい

旬の野菜はそれ以外の季節より、栄養価が高くなっています。例えば、ビタミンCの含有量を比べてみると、ホウレン草は約5倍。その季節に旬を迎える野菜を選んで食べるようにしましょう。

旬の野菜はビタミンCが約5倍！

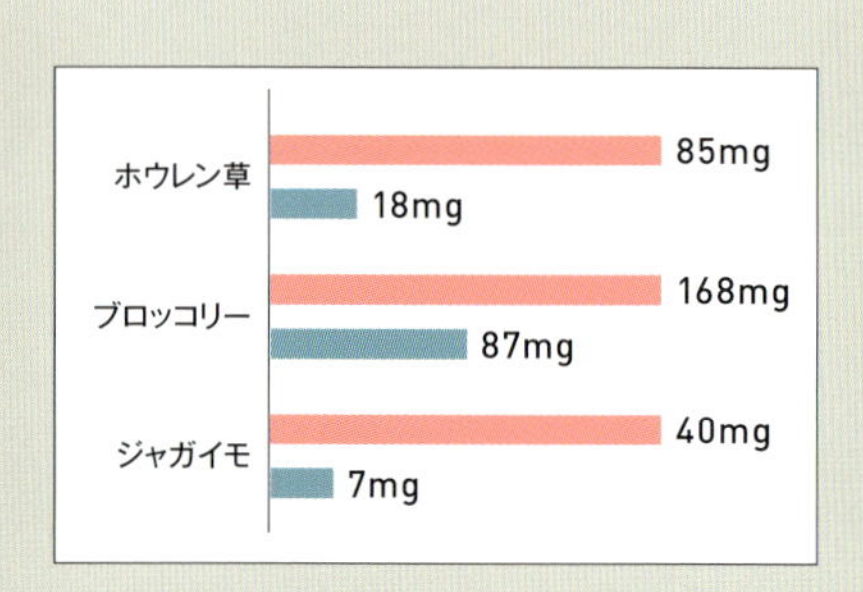

季節ごとの食事のコツ

冬は風邪を予防する食べ物、夏は体を冷やす食べ物をとりましょう。
季節によってもとりたい栄養は違ってきます。

季節ごとの免疫力をアップさせる食品

春

- 花粉症対策（免疫力アップ）
- 代謝力アップ
- 冬を越えた体のケア

おすすめの食品
イチゴ、甘夏、キャベツ、豚肉、牛乳、青魚、ブロッコリーなど

夏

- 熱中症予防
- 胃腸の強化（夏バテ対策）
- 紫外線対策

おすすめの食品
トマト、キュウリ、ナス、ピーマン、ゴーヤ、きのこなど

- 夏の疲労を回復
- 粘膜の強化（免疫力アップ）
- 冬に備える体づくり

おすすめの食品
サンマ、サバ、柿、ナス、さつまいも、豚肉、きのこなど

- 寒さ対策
- 風邪対策
- 乾燥防止

おすすめの食品
にんじん、ごぼう、しょうが、ねぎ、小松菜、みかんなど

- 旬の素材は栄養価が高いので、特に積極的にとる
- 季節ごとに免疫力をアップさせる食品をとり、体調を整える

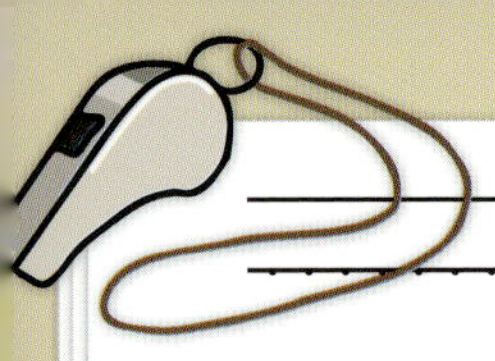

Column 5

部活、塾通いで忙しいジュニアアスリートの食事法

ジュニアたちは、思った以上に時間に追われています。運動部に所属して、塾にも通っているという人も少なくありません。生活習慣の理想は、「夕食は午後7時までに、就寝は夜10時までに」ですが、実行できている人は少ないでしょう。夕食が遅くなる場合には、トレーニング後に一度夕食をとり、塾が終わって自宅に帰ってからもう一度軽めの夕食をとるのがおすすめです。夜遅い時間に量の多い食事をすると、就寝時にも胃の中に食べ物が残って消化活動を続けます。すると、体が十分に休息できず、翌日に疲労を残す原因となってしまいます。夕食をとるときは、例えば肉なら、塩麹や果物・野菜のすりおろしに漬けて消化しやすくするなど、調理法を工夫してください。また、厚いステーキよりは、薄切り肉やひき肉のほうが消化に優れています。スープなどの温かいものもゆっくり咀嚼（そしゃく）してとるようにするとよいでしょう。

夕食の時間が遅い人は、2回に分けてとるとよい

部活動の後に塾通いをしている人は、夕食を2回に分けてとるとよいでしょう。塾に行く前の夕食は、おにぎりと少量のおかずや、サンドイッチなどをとり、塾が終わり帰宅してからの夕食は、消化に負担のかからないものを選びます。2回目の夕食は就寝の1時間前にすませましょう。

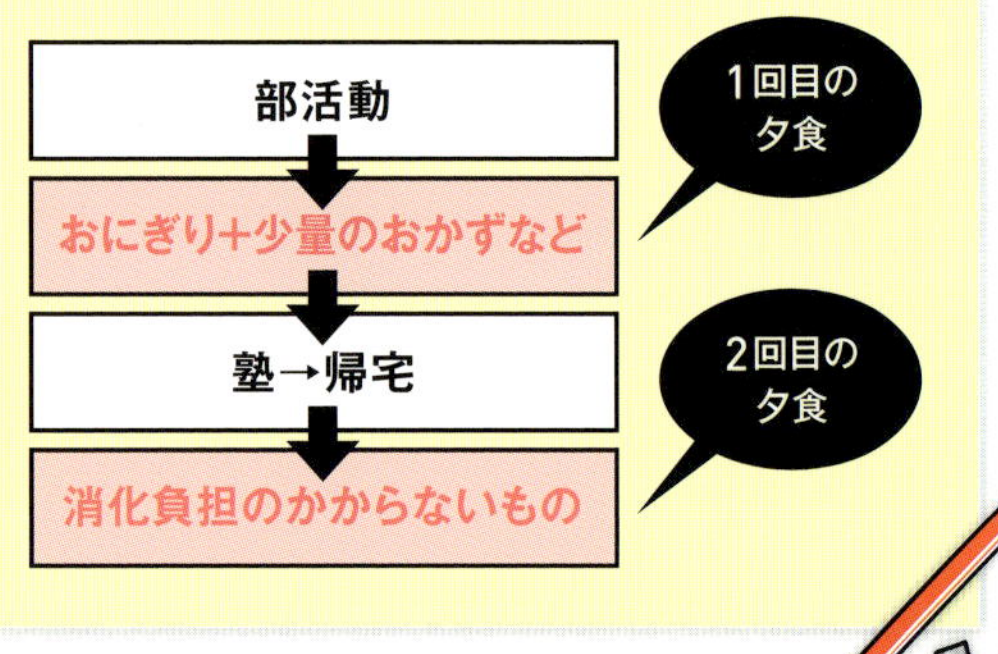

Part 6
目的別
体づくり
心身の発達が著しい時期。
食べ物の消化・吸収能力は成長過程にあるので、
正しい食習慣を身につけるために
家庭での「食育」が重要です。

39

健康的に体重を減らしたいときは？

たんぱく質はそのままに脂質を極力減らそう

重要度 ★★★★☆

競技の中には、体重によって出場できる階級が異なるケースがあります。新体操など審美系の要素が大きく影響する競技もあります。

体重と大きく関係している栄養素が脂質です。肉類などはたんぱく質のほか、脂質も多く含んでいます。たんぱく質は筋肉の成分となるため、摂取を減らすわけにはいきません。そこで、肉・魚をとるときは、脂の少ない部位を選ぶとよいでしょう。また、高たんぱく・低脂肪の大豆製品などの植物性たんぱく質を食事に積極的に取り入れてください。

同時に野菜の摂取量を増やすことで、ムダな体脂肪を燃焼させ、たんぱく質を効果的に利用することができます。

OnePoint

見た目が重要な競技では減量が必要なことも

階級別競技では、前日と当日のどちらかに体重測定を行います。前日測定の場合、どれだけ体重を戻せるかが競技成績のカギを握ります。いずれにしても減量は健康的に行いましょう。

減量が必要な競技

階級制の競技	見た目が問われる競技
・ボクシング	・体操
・レスリング（アマチュア）	・新体操
・柔道	・フィギュアスケートなど
・空手	
・相撲（アマチュア）など	

減量するときのコツ

減量では、筋肉を落とさず、持久力を保つことが大切。
余分な脂肪を落とすためには、正しい食事法がポイント。

健康的に減量するための食事のポイント

Point1 植物性たんぱく質を多くとる

決してカットしてはいけないのがたんぱく質です。筋肉を減らさずに脂肪だけを減らすには、豆腐や納豆などの植物性たんぱく質をたっぷりとるようにして、低脂肪高たんぱくの食事を心がけましょう。

Point2 調理法を工夫し脂肪を減らす

鶏肉はソテーするのではなく蒸し鶏にする、目玉焼きではなく、ゆで卵にするなど、極力油を使わない調理法を心がけましょう。ただし、極端に脂肪を減らしてしまうと、脂溶性ビタミンが吸収されなくなってしまうので注意してください。

Point3 食事の質はキープする

スタミナや瞬発力を保ったまま減量をするには、①主食 ②主菜③ 副菜 ④ 果物 ⑤ 乳製品がそろった「栄養フルコース型」であることが必要です。脂肪が少ない食品を選んで、カロリーダウンを行いましょう。

Point4 食事抜きの減量は逆効果

体重を減らすために食事を抜く減量法は、かえって逆効果。食事の間隔があくと、人間の体は飢餓状態になったと判断して体に脂肪を蓄えようとしてしまうからです。3食きちんととりつつ、1回あたりの食事内容を工夫してください。

Point5 有酸素運動を取り入れる

体内に蓄積された脂肪を減らすために、トレーニングに有酸素運動を取り入れましょう。ウォーキングやジョギングといった有酸素運動を20分以上続けると、脂肪が燃焼し始めます。30分以上続けることを心がけてください。

食材を低脂肪のものに替えても結果が出ないときには、食事の量を減らすことも検討してみてください。その場合に問題になるのが空腹感です。低カロリーの野菜やこんにゃく、わかめなどの海藻、鶏のささみを使った料理などを用意しておき、主食や主菜にとりかかる前に食べるようにしましょう。これらの食材は食物繊維を多く含んでいます。先に食べることで血糖値の上昇がゆっくりになり、エネルギーとして余さず効率的に使われやすくなります。

ただし、量を減らさなければならない場合でも、朝食や昼食を抜いたり、水分補給を控えたりすることは、筋力の低下や体調不良を招きかねないため、スポーツするジュニアたちにとっては禁物です。

そもそも食事を抜くことは、減量には逆効果です。人間の体には、食事の間隔があくと飢餓の状態になったと判断して、次の食事の際にはよりたくさんの栄養素を取り込もうとする機能があります。そのため、食事を抜くと、減量どころか体重が増える可能性さえあるのです。

パフォーマンスの向上を目的に減量する場合には体脂肪率を意識しましょう。特に、新体操などの審美系の競技では、筋肉量と体脂肪とのバランスがとれているかどうかが重視されます。毎日同じ時間に計量するなどして正しく体重を測りましょう。また、体脂肪率を忘れずに記録して、ジュニアそれぞれにとって理想的な体脂肪率を見つけていくことが大切です。

OnePoint

減量する際は体脂肪率を意識しよう

減量をする際は、体重にだけでなく体脂肪率も意識しましょう。体脂肪率とは、体重に占める体脂肪の割合のこと。競技によって異なりますが、適した体脂肪率を目指しましょう。

体脂肪とは

体脂肪(%)

＝

体脂肪量÷体重×100

体脂肪率とは体重に占める体脂肪量の割合のことです。体脂肪は体内にある脂肪のこと。主に、皮膚の下にたまる「皮下脂肪」と、内臓のまわりにたまる「内臓脂肪」があります。

減量におすすめの食品

減量を行う際におすすめなのが、高たんぱく・低脂肪の食品です。
合わせてビタミンや食物繊維もとるようにしてください。

意識してとりたい食品

動物性たんぱく質

鶏ささみ／マグロ赤身／卵／低脂肪牛乳／低脂肪ヨーグルトなど

植物性たんぱく質

豆腐／納豆／豆乳など

ビタミンB2

豚肉／鶏肉／サバ／納豆／卵／低脂肪ヨーグルトなど

食物繊維

こんにゃく／わかめ／昆布／納豆／ごぼう／さつまいも／きのこ／れんこんなど

まとめ

- 筋肉量を減らさないため、たんぱく質摂取量はキープする
- 脂質は体脂肪の原因となるのでできるだけ減らす

筋肉を増やしたいときは?

良質のたんぱく質をバランスよくとる

重要度 ★★★★☆

筋肉は、筋線維と呼ばれる線維質の組織でかたちづくられています。トレーニングで体に負荷がかかると、筋線維には傷がつきます。この傷は休息をとることによって少しずつ回復します。このタイミングで十分なたんぱく質を摂取すると修復の力が強く働き、前よりも筋線維の1本ずつが太く強くなって、その結果、筋力も高まるのです。この繰り返しによって筋肉がつき、体が鍛えられていくわけです（P35参照）。

筋肉を増やそうとするなら、たっぷり睡眠をとることも非常に重要です。筋肉の成長を手助けする成長ホルモンは、就寝時に分泌されるからです。寝る子は育つ、という昔からの言い伝えには科学的な根拠があるのです（P62参照）。

カラダのしくみ

筋肉は約80％がたんぱく質でできている

筋肉は水分を除くと、約80％がたんぱく質でできています。食事は糖質60％、脂質25％、たんぱく質15％の割合が基本ですが、筋肉を増やしたいときはたんぱく質を多めにとりましょう。

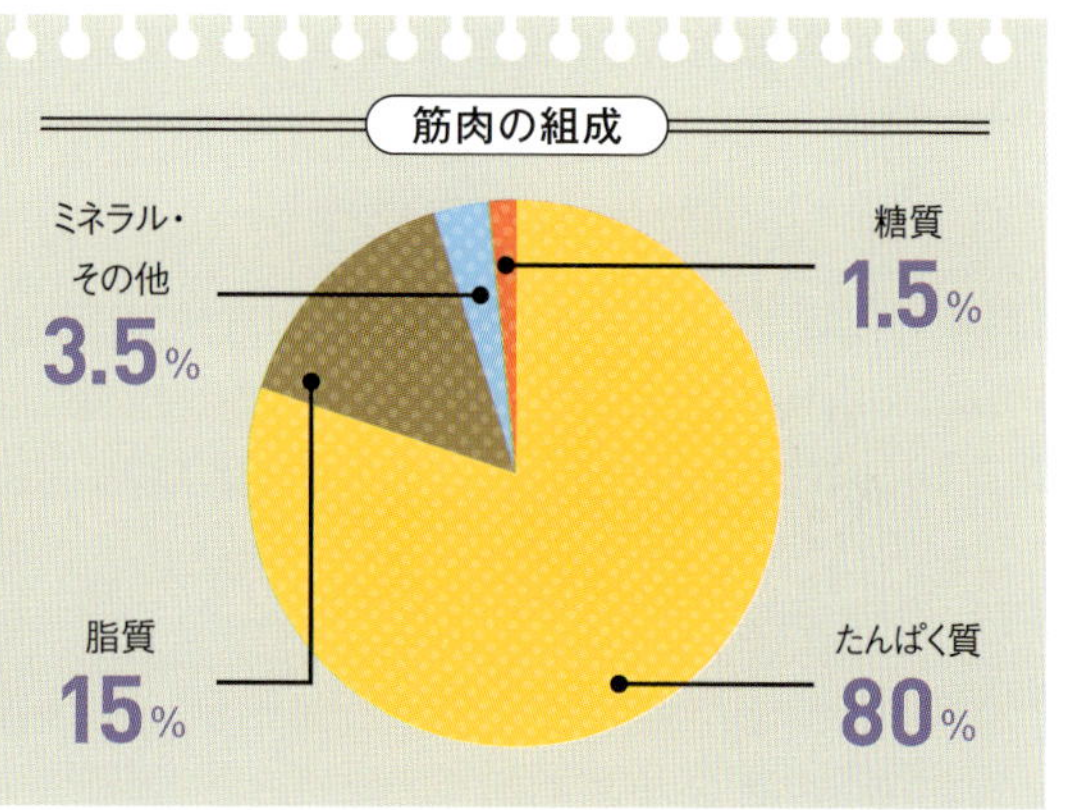

筋肉を増やすコツ

筋肉を増やしたいときは、材料となるたんぱく質が必須。
ビタミンやミネラルを一緒にとることが大切です。

■ 丈夫な筋肉を増やすための食事のポイント

Point1 たんぱく質食品は毎食ごとにとる

筋肉はトレーニングで負荷がかかると損傷して、より強い筋肉になるための修復を行います。このときにたんぱく質が不足していると、丈夫な筋肉が再生されません。たんぱく質は、3食＋補食のときにも意識してとるようにしましょう。

Point2 たんぱく質食品を組み合わせる

たんぱく質には動物性と植物性のものがあり、また、それらの食品に含まれているビタミンやミネラルなどにも違いがあります。食事のときには複数のたんぱく質をとると、ほかの栄養素もバランスよくとれるので効率的です。

Point3 ビタミンB群・Cを一緒に

たんぱく質を補給するだけでは、質のよい筋肉はつくられません。一緒にビタミンB群やビタミンCをとることが大切。ビタミンB群は、豚肉、カツオ、レバーなどに、ビタミンCは、柑橘類や緑黄色野菜に多く含まれています。

Point4 ミネラルを一緒にとる

ビタミンB群やビタミンCとともに意識してとりたいのがカルシウムやマグネシウムです。たんぱく質が分解・合成されるときに働きます。カルシウムは、牛乳や小松菜に、マグネシウムは大豆製品や魚介類に多く含まれています。

Point5 疲労度に合わせてたんぱく質食品を選ぶ

体が疲れているときも、しっかりとたんぱく質をとることが筋力アップには大切です。体に負担をかけないように、薄切り肉やひき肉などなるべく消化しやすいものがおすすめ。チーズも消化によいので、補食としてとるとよいでしょう。

強くて太い筋肉に鍛えるためには、十分な量のたんぱく質が必要です。たんぱく質が多く含まれる食品を積極的にとるようにしてください（P54参照）。その際、たんぱく質の「質」にも目を向けるようにしてください。たんぱく質には、肉や魚、卵、乳製品などの動物性のたんぱく質と、豆腐や大豆などの植物性たんぱく質がありますが、1種類ばかりを食べるのではなく、いろいろな種類をたくさん食べることが大切です。

たんぱく質をとるときに気をつけたいのが、高タンパク・低脂肪のものを選ぶこと。肉や魚は部位によっては脂質を多く含むため、脂質のとりすぎにならないように、部位の選び方にも気をつけましょう。調理方法でも、油を使う献立はできるだけ避けて、蒸したりゆでたりして、脂質の量を抑える工夫をしてください。たくさんの量は食べられないという場合は、プロテインを利用するのもひとつの方法です。

筋肉をつけたいなら、炭水化物が不可欠です。運動をすると筋肉に傷がつき、筋肉中のエネルギーも使われます。この時点では体はマイナスの状態。いったんゼロまで戻すには糖質が必要なのです。まず糖質でエネルギーを回復し、たんぱく質で筋肉を修復し、回復させることで、筋肉は発達していくのです。また、たんぱく質と糖質の分解にはほかの栄養素も欠かせません。そこで、私が提唱しているのが、糖質1：たんぱく質1：野菜や海藻が1の割合。スポーツに最適の体をつくり上げる黄金律です。

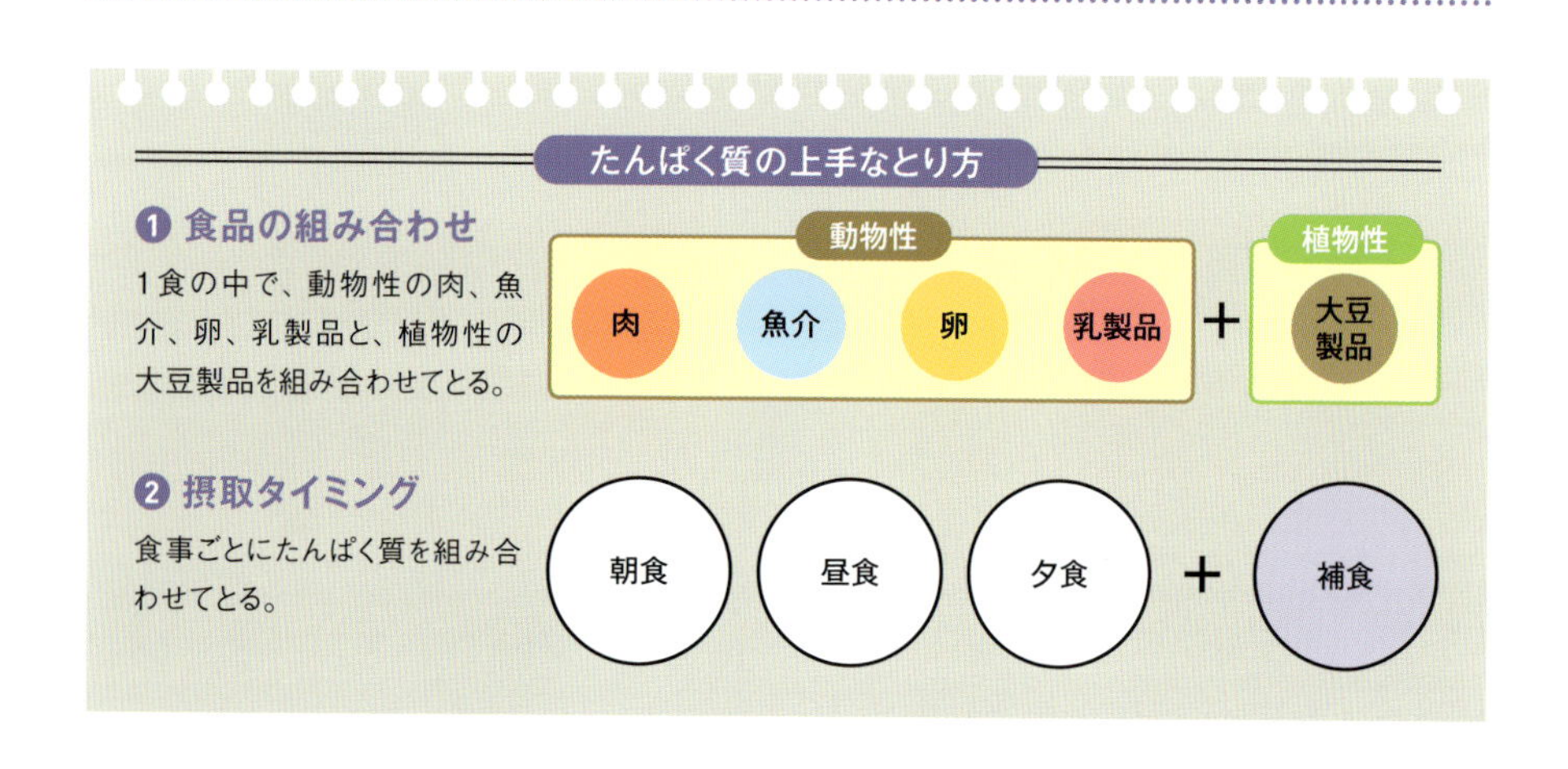

筋肉を増やしたいときにおすすめの食品

たんぱく質には植物性と、動物性のものがあります。
両方を組み合わせてとるのがおすすめです。

意識してとりたい食品

動物性たんぱく質

鶏ささみ／マグロ赤身／卵／低脂肪牛乳／低脂肪ヨーグルトなど

炭水化物

ごはん／もち／パン／うどん／スパゲッティ／じゃがいも、さつまいもなどのいも類など

植物性たんぱく質

豆腐／納豆／豆乳など

まとめ

- 高たんぱく・低脂肪の食品で、体重を増やさず筋肉をつける
- 運動に最適の体づくりは糖質1：たんぱく質1：野菜や海藻1

41

貧血を予防するには?

血液の主成分・鉄とともにビタミンをとる

重要度 ★★★★☆

貧血は、赤血球の数やヘモグロビンの濃度が下がった状態のことで、めまいや立ちくらみなどの症状を引き起こします。スポーツ選手には貧血に悩まされる人が少なくありません。

その理由のひとつに、激しい運動で大量にかく汗が、赤血球の成分である鉄分を体外に排出してしまうことが挙げられます。また、競技の種類に限らずスポーツ選手は、トレーニング中においても競技や試合中においても、ジャンプした後の着地などで足の裏に衝撃を受け続けます。人間の足の裏には血管が集合しているため、この衝撃で赤血球が壊れやすい状態になるのです。さらに、成長期のジュニアは、体をつくるために多くの血液が必要なため、貧血になりやすいのです。

カラダのしくみ

ヘモグロビン濃度が低下して起こる

貧血は、血液中のヘモグロビン濃度が正常の範囲以下に低下した状態です。男性と女性とでは診断の基準値が異なります。貧血が疑われる場合は、専門医で血液検査を受けましょう。

貧血の基準

血液中のヘモグロビン濃度が

男性 13.6〜18.3g/dl以下

女性 11.2〜15.2g/dl以下

貧血と診断される

貧血の種類を知る

貧血の原因はさまざまですが、スポーツ選手がかかりやすい「スポーツ貧血」は、大きく3つに分けることができます。

スポーツ貧血には3つのタイプがある

Type 1 鉄欠乏性貧血

赤血球の数が正常値を下回ることで起きる貧血です。発汗、消化管からの出血、月経血による体内鉄の不足や、たんぱく質や鉄など栄養素の摂取不足などが原因に挙げられます。

対策

- 鉄分を多く含む食品をとる。
- ひどい場合は医師に相談を。

Type 2 溶血性貧血

赤血球が外部からの刺激により破壊されて起こる貧血です。特に足裏に衝撃を受け続けると溶血性貧血になりやすく、何度も足裏で激しく地面を踏みしめる陸上選手に起こりやすいとされています。

対策

- 鉄分を多く含む食品をとる。
- クッション性の高い靴で足裏を保護する。

Type 3 希釈性貧血

運動によって血しょう（血液に含まれる液体成分のひとつ）が増えたことによって、赤血球の絶対数が減少することで起こる貧血です。一時的なものなので、特に治療は必要ありません。

対策

- 特に対策の必要はない。

血液を健康な状態に保つために必要なのは、どれだけ効率よく鉄分を補給できるかということにあります。鉄分には、動物性の食品に含まれるヘム鉄と、植物性の食品に含まれる非ヘム鉄がありま す。レバーに含まれているのはヘム鉄のほうで、体への吸収力が非ヘム鉄よりも高いのが特徴です。非ヘム鉄は、ホウレン草やひじき、納豆などに多く含まれます。

ヘム鉄のほうが吸収力が高いのであれば、動物性のヘム鉄である肉類や魚、貝類などを中心に食べればいいのではないかと思われがちですが、片方だけ食べるのはいけません。それぞれの素材に含まれている鉄以外の栄養素もまんべんなく摂取したいため、ヘム鉄ばかりではなく、ヘム鉄と非ヘム鉄の両方をとることが大切です。

特に、鉄欠乏性貧血の人は、毎回の食事で必ず鉄分をとるようにしましょう。鉄分はレバーや肉・魚の赤身のほか、納豆やひじき、高野豆腐、パセリや切り干し大根、ココアや抹茶にも多く含まれています。

非ヘム鉄をとるときは、ビタミンCとたんぱく質を一緒にとるようにしてください。これらを一緒にとることで、非ヘム鉄の吸収力をグンとアップさせることができます。ほうれん草やひじきを食べる場合には、肉・魚・生野菜と組み合わせるとよいでしょう。緑茶や紅茶、コーヒーに含まれるタンニンは吸収率を下げる働きがあります。麦茶にはタンニンは含まれないので、食事とともにとる飲み物は、麦茶がおすすめです。

栄養の基本

鉄分は毎食ごとにしっかり食べよう

成長期は体をつくるためにたくさんの血液が使われて、貧血になりやすい状態です。毎食、鉄分を特に意識してとりましょう。食事で十分とれなかったときは、ココアや抹茶などで鉄分を補給するのもおすすめ。

ヘム鉄

- 動物性食品に含まれる。
- 吸収率は高い。

多く含む食品

レバー、牛もも肉、豚もも肉、しじみ、あさり、かつお、マグロ、あなご、いわし、牡蠣、さけ、牛乳など

非ヘム鉄

- 植物性食品に含まれる。
- 吸収率は低い。

多く含む食品

ホウレン草、小松菜、納豆、ひじき、焼き海苔、塩昆布、切り干し大根、ココア、抹茶、きな粉、油揚げなど

貧血を予防する効果のある食品

貧血の症状から回復するには、鉄分を多くとることが大切です。
ここで紹介する食品は症状軽減だけでなく、予防効果もあります。

意識してとりたい食品

鉄（ヘム鉄）

牛もも肉（赤身）／レバー／カキ／ブリ／アサリ／卵黄など

鉄（非ヘム鉄）

ホウレン草／ひじき／納豆／切り干し大根／小松菜など

たんぱく質

肉類／魚介類／ハム、ソーセージ／豆腐／納豆など

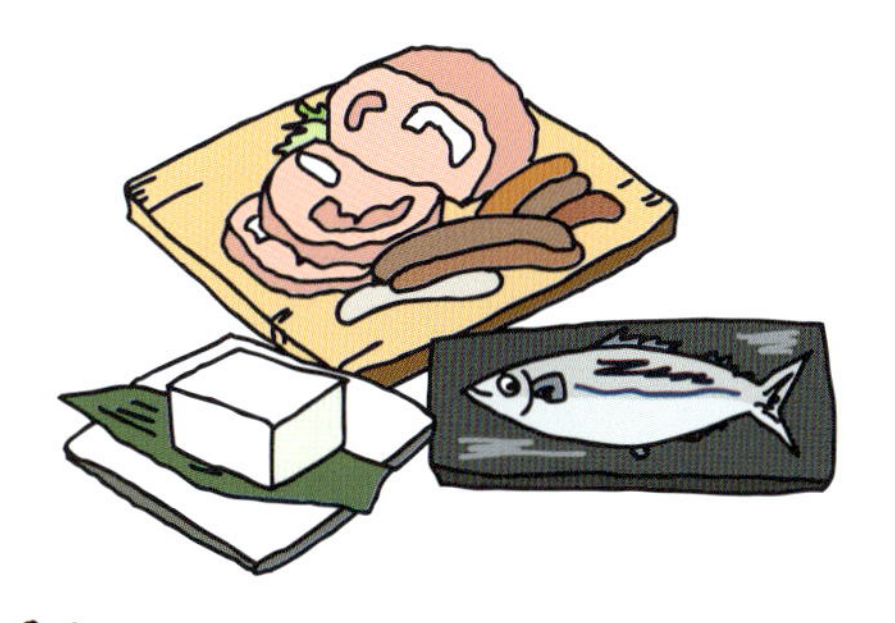

ビタミンC

イチゴ／キウイフルーツ／グレープフルーツ／パプリカ／トマト／ブロッコリーなど

まとめ

- ほかの栄養も補給できるので、ヘム鉄と非ヘム鉄の両方をとる
- 非ヘム鉄はビタミンCとたんぱく質の同時摂取で吸収率アップ

疲労を残さないためには?

運動直後の成長ホルモンの分泌を最大限に活用しよう

重要度 ★★★★☆

疲れを残さないための効果的な方法があります。それは、運動直後の時間帯を利用すること。睡眠中に成長ホルモンが分泌されることはよく知られていますが、実は、**成長ホルモンは運動直後にも分泌されるのです。**

運動後の疲労はエネルギーの減少と筋肉に傷がついたことで起こります。すると、筋肉を修復しようとして成長ホルモンが分泌されます。一方、人間の体は、修復よりも先にエネルギーの回復を優先しようとします。このタイミングで炭水化物とたんぱく質をとると、エネルギーの取り込みに必要なインスリン分泌のスイッチが入り、エネルギーが効果的に吸収されるようになるのです。そして、筋肉や腱の修復もすみやかに進みます。

カラダのしくみ

乳酸に疲労回復の効果があることがわかってきた

運動をすると一時的に血中の乳酸量が増えます。最近の説では、乳酸は体内で悪影響を及ぼすだけの悪者ではなく、乳酸には脳と筋肉（遅筋）の疲労を軽減させる働きがあることもわかってきました。

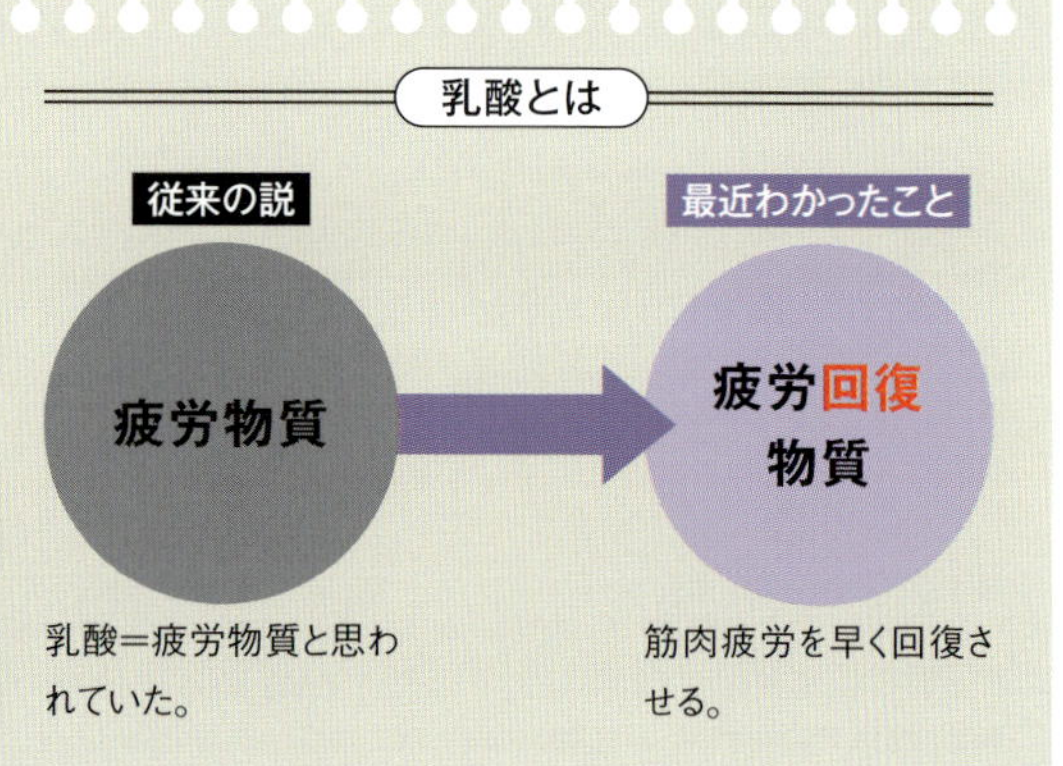

疲労を回復するコツ

運動直後、運動の2時間後、睡眠時の3回のケアがポイント。
それぞれのタイミングでのコツを紹介します。

疲労回復のチャンスは3回ある

運動後にクールダウンを行う

▼

Step1 運動直後20分以内

消化機能が低下しているため、胃腸に負担のかからない果汁100%ジュースなどの液体やエネルギーゼリーでたんぱく質と炭水化物を補給します。

▼

Step2 練習終了後2時間

練習後2時間のタイミングで夕食をとれれば理想的。難しいようなら、この時間帯に補食をとって栄養の補給を。

▼

Step3 睡眠時

成長ホルモンの分泌が最大になる時間帯。この時間に消化器を働かせず、休息をとることが大切。

日常生活での疲労回復のコツ

マッサージや入浴で血行を促進する

筋肉の緊張をほぐし、乳酸をすみやかに分解させるには、マッサージや入浴が有効です。その後はたっぷりと睡眠をとり、体を休息させましょう。

Point

運動直後の栄養摂取は炭水化物3：たんぱく質1

運動直後の栄養補給の割合は、炭水化物3に対して、たんぱく質は1。運動による疲労で消化機能も低下しているため、液体で摂取するようにしましょう。

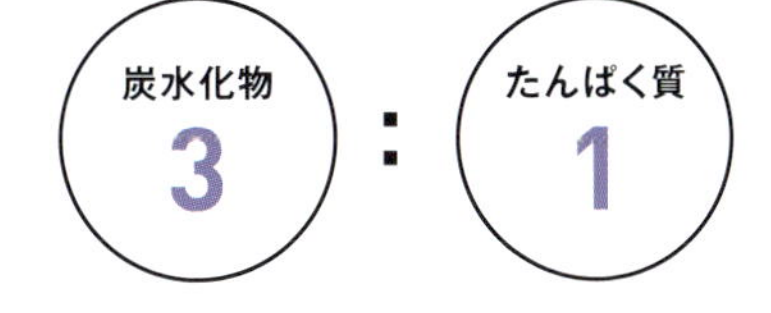

疲労回復に効果を発揮する栄養素にはいくつかの種類がありますが、主なものとして、炭水化物、たんぱく質、ビタミンC、ビタミンA、ビタミンE、ビタミンB群、クエン酸などが挙げられます。

ごはんやパンなどに含まれる炭水化物には、運動で失われたエネルギーを補給する働きがあります。肉や魚に含まれるたんぱく質は、運動で傷ついた筋肉を修復します。肉類のうちでも豚肉や卵などにはビタミンB_1が含まれています。ビタミンB_1には疲労回復効果と、乳酸の分解を早める働きがあり、疲労回復に複合的な効果を発揮します。

運動後の炎症を抑える抗酸化食品にも注目。ビタミンA（カロテン）やビタミンC、E、鉄、亜鉛、カルシウムが含まれている緑黄色野菜やレバー、アサリ、鮭、大豆製品などもしっかりとります。

酸っぱいものには疲労回復効果があることはよく知られていますが、酸っぱい味の成分はクエン酸です。オレンジやレモン、みかんなどの柑橘系の果物にはビタミンCも多く含まれており、一石二鳥の効果が期待できます。

このほか、必須アミノ酸のうち特に重要な3種類のアミノ酸・BCAAもまた、筋肉痛を予防し、疲労回復に役立ちます。BCAAはカツオや卵黄、レバーなどに多く含まれています（P120参照）。

疲労を残さないためには、こうした食事とともに、マッサージや入浴で血行を促し、筋肉をほぐして乳酸の代謝を促し、しっかり休息をとることも大切です。

栄養の基本

抗酸化力をアップして筋肉を回復しよう

筋肉が傷つくとき炎症を起こします。食品の中には、炎症を抑える「抗酸化力」を持つものがあります。これらを積極的にとることで、筋肉の修復を早め、疲労を回復することができます。

抗酸化力のある食品

ビタミンA（カロテン）
ビタミンC／クエン酸
ビタミンE／鉄・亜鉛
カルシウム

緑黄色野菜、生野菜、柑橘系果物、プルーン、レバー、あさり、ほたて、鮭、かつお、ぶり、いわし、さば、乳製品、大豆製品、乾物（切り干し大根、ひじき）、きのこ類など

疲労回復効果のある食品

疲労を回復させる効果がある栄養素はいくつかの種類があります。
ここでは主なものを紹介します。夕食でぜひ取り入れてください。

■ 意識してとりたい食品

炭水化物

ごはん／もち／パン／うどん／スパゲッティ／じゃがいも、さつまいもなどのいも類など

たんぱく質

肉類／魚介類／ハム、ソーセージ／豆腐／納豆など

ビタミンA

レバー／うなぎのかば焼き／モロヘイヤ／かぼちゃ／にんじんなど

ビタミンB群

レバー／肉類／卵／牛乳／ピーナッツ（ロースト）／バナナなど

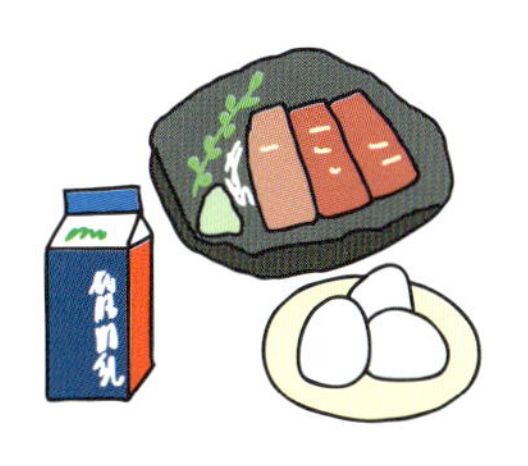

ビタミンC

イチゴ／キウイフルーツ／グレープフルーツ／パプリカ／トマト／ブロッコリーなど

ビタミンE

アーモンド／うなぎのかば焼き／かぼちゃ／たらこ／アボカドなど

まとめ

- 疲労回復のチャンスは練習直後・2時間後・睡眠時の3回
- 抗酸化食品は疲労の回復を早める

けがを早く治すには？

ビタミンとミネラルで炎症を抑えよう

重要度 ★★★★★

けがをしたときは、専門医のもとで適切な処置を受けると同時に、食事でもけがの回復に必要な栄養素を多く含むものをとるようにします。

それぞれの症状に必要となる食事、栄養素については次のページで説明しますが、どのけがでも共通していえるのは、まずは炎症を抑える栄養素をとること。そして、炎症が治まったところでけがを治す栄養素をとるようにします。炎症を抑えるのが抗酸化食品（Ｐ１１４参照）ビタミンＣで、けがを治す材料がたんぱく質です。

休養中にはエネルギーの消費が抑えられるため、炭水化物を減らし、高たんぱく低脂肪を心がけます。もちろんビタミンやミネラルもとるようにしましょう。

OnePoint

けがから体を守る要素は栄養・集中力・ストレッチ

けがは、集中していないときに起こりがち。運動前のストレッチ不足や、栄養不足で筋肉が弱っているときにも起こります。けがを予防するためには栄養・集中力・ストレッチを心がけてください。

けがの予防に必要な要素

- 栄養：体を丈夫にする栄養
- 集中力：ミスを防ぐ集中力
- ストレッチ：筋肉をよくほぐしておく

けがの種類別・必要な栄養素

どの部位を負傷したかによって、修復に必要な栄養素も異なります。
正しい栄養補給で、けがからの早期回復を目指しましょう。

けがの種類によって、必要な栄養素は異なる

骨折

カルシウムとビタミンCで骨を強化

骨を強化するためにも、カルシウムとたんぱく質、ビタミンCを積極的にとりましょう。骨折はほかの故障に比べて回復に時間がかかるため、いつもの食事では体重増の可能性も。トレーニングに復帰できるまでは炭水化物を抑えましょう。

おすすめ食品の一例

牛乳、ひじき、レモン、ブロッコリー、魚、小魚、青菜

ねんざ

コラーゲンで靱帯と腱を強化

ねんざは、靱帯に無理な力がかかったときに起こります。軽く考えず、適切な処置を行うことで、痛みを早く軽減することができます。腱や靱帯を強化するために、腱や靱帯の成分であるコラーゲンが含まれる食品を多くとるようにしてください。

おすすめ食品の一例

鶏の手羽先、鶏の皮、牛テール

肉離れ

筋肉を修復するたんぱく質を摂取

急激に筋肉が収縮したり、衝撃で筋肉が損傷した状態のこと。筋肉を修復するために、筋肉の構成成分であるたんぱく質を多くとりましょう。たんぱく質の吸収を高める効果のあるビタミンB6も一緒に摂取すると効果が高まります。

おすすめ食品の一例

肉、魚、乳製品、大豆製品、レバー、バナナ

突き指

炎症を抑えるビタミンCを摂取

突き指は、指の靱帯に負荷がかかって、損傷した状態のこと。「ひっぱるといい」というのは迷信で、かえって悪化させることがあるので注意してください。靱帯強化のコラーゲンが含まれる食品と炎症を抑えるビタミンCをとりましょう。

おすすめ食品の一例

鶏の手羽先、キウイフルーツ、みかん

すり傷・切り傷

傷の治りを早める亜鉛をとり入れて

皮膚の主要成分はたんぱく質です。皮膚が傷ついたときには、たんぱく質と、たんぱく質の合成を促す亜鉛がおすすめ。亜鉛には傷の治りを早める働きがあります。とりすぎは体に悪影響ですが、通常の食事でとりすぎることはありません。

おすすめ食品の一例

カキ、牛肉、チーズ

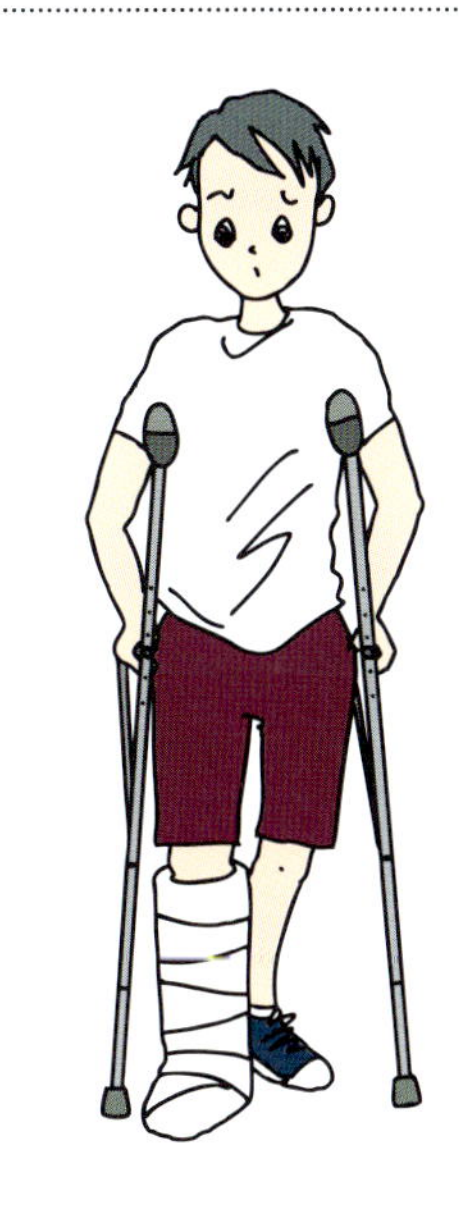

骨を形づくっているのはたんぱく質です。骨を硬くして骨密度を高める役割がカルシウム、強度を上げるにはビタミンCが必要です。骨折した場合には、これらの栄養素をとることで、回復を早め、質のよい骨をつくることができます。

白砂糖やインスタント食品に多く含まれるリンはカルシウムの吸収を阻害するので、骨折の療養中は特に避けたい食品です。

筋肉が裂傷する肉離れ、皮膚が損傷するすり傷・切り傷、靭帯が損傷するねんざや突き指などの場合は、骨と筋肉の材料であり、筋肉の修復を助けるたんぱく質をとります。脂質の量をいつもより減らす必要がありますから、肉、魚は、療養中は特に脂肪の少ない部位での献立を考えましょう。

追加で補強したい栄養素が、体内でたんぱく質を合成するために欠かせないビタミンや亜鉛などのミネラルです。特に、靭帯の損傷にはコラーゲンの修復が不可欠ですから、その合成を促進するビタミンCも多くとります。鶏のささ身に代表される脂質の少ない肉類、ゼラチン質の多い食材とともに、柑橘系の果物やキウイなどをプラスした食事が効果的です。

さらに、緑黄色野菜などに含まれる抗酸化物質には、日々の練習で傷ついた筋肉の炎症を抑える働きがあり、けがの予防の観点からは欠かせない栄養素です。これらの食品を日ごろからとることで、骨や筋肉、靭帯などを強化して、けがの予防につながります。

OnePoint

お見舞いにお菓子はNG 果物がおすすめ

療養中の人にお見舞いを持っていくなら、果物がおすすめです。療養中は体を動かす機会が少なくなり、ケーキなどのお菓子はカロリーのとりすぎになるため、避けましょう。

お見舞いを持参するときは

○ 果物

× ケーキ、スナック菓子など糖分と脂肪が多いもの

けがを予防する食品

けがをしない体をつくるには、骨や靭帯・腱、関節などの強化が大切。
炎症をすみやかに取り除くことが重要です。

意識してとりたい食品

骨や筋肉をつくるたんぱく質

骨を丈夫にする カルシウム

牛乳／ヨーグルト／チーズ／小魚／豆腐／小松菜／高野豆腐など

骨や筋肉をつくる たんぱく質

カツオ／マグロ／サバ／豚もも肉／鮭／納豆・豆腐／卵など

靭帯と腱をつくる ビタミンC

イチゴ／キウイフルーツ／グレープフルーツ／パプリカ／トマト／ブロッコリーなど

関節を丈夫にする

コラーゲンなど

鶏の手羽先／牛すじ／ゼラチン／牛テールなど

炎症を取り除く

抗酸化物質

緑黄色野菜／果物／かぼちゃ／イワシ／サケなど

※ 抗酸化物質＝ビタミンC、カロテン、ビタミンE、コエンザイム、アスタキサンチン、ポリフェノールなど

まとめ

- けがにはまず抗酸化食品とビタミンCをとり、炎症を抑える
- 炎症が治まってからたんぱく質をとり、筋肉を補修する

集中力を高めるには？

脳のエネルギー源と脳の疲労回復の秘密を知る

重要度 ★★★★☆

練習を集中して行うことはとても重要です。というのも、集中して能動的に練習をやり遂げると達成感が生まれ、それを積み重ねることで大きな自信につながっていきます。メンタルの強さは、集中した練習での達成感と成功体験に支えられているのです。

集中力を高めるには、脳と神経の働きをよくする必要があります。脳のエネルギーは糖質で、脳の指令を伝える神経伝達物質はビタミンB群です。また、神経の伝達をコントロールするカルシウムやマグネシウムも集中力には欠かせない栄養素です。

運動中に空腹になると脳にエネルギーが届きません。補食や運動中のスポーツドリンクで脳の働きを整えましょう。

栄養の基本

BCAAは、集中力を保持して筋肉を回復させる

バリン、ロイシン、イソロイシンの3種類のアミノ酸（BCAA）は、脳に疲労感をもたらすトリプトファンが増えすぎるのを抑える働きがあり、筋肉の回復を早める効果があります。

BCAAとは？

バリン、ロイシン、イソロイシンの3種のアミノ酸のことをBCAAと呼ぶ。

脳内に疲労物質が溜まるのを防ぎ、疲労感を軽減して集中力を保つ働きがある。

筋肉が以前より強くなろうとする「超回復（P35参照）」の際に筋肉の回復を早める。

集中力を高める食事のとり方

集中力を高めるには、脳や神経の働きを高めましょう。
脳の疲労を解消する栄養素をとる必要があります。

集中力を高める食事のポイント

Point1

脳の栄養源をしっかり補充する

必要な栄養素

炭水化物

脳の栄養源になるのは糖質です。炭水化物をしっかりとりましょう。炭水化物は消化されて糖質に変わりますが、食品によって消化のスピードが異なります。すぐに脳のエネルギーとなって、それが持続するように、炭水化物を組み合わせてとるようにしましょう。

Point2

神経伝達物質を増やす

必要な栄養素

ビタミンB群

脳は神経を通じて全身の動きをコントロールしています。このとき、神経と神経の間でやりとりされるのが「情報伝達物質」です（P28参照）。情報伝達物質の材料はビタミンB群です。ビタミンB群は肉や魚介類などに多く含まれています。

Point3

脳に疲労物質を溜めない

必要な栄養素

BCAA

トリプトファンという物質は、精神を安定させリラックス感をもたらしてくれる効果がありますが、脳内に流れ込みすぎると、疲労感やだるさの原因となります。これを防ぐにはBCAA（P120参照）を含む、レバーや卵、牛乳をたくさんとるといいでしょう。

Point4

情報の伝達をコントロール

必要な栄養素

カルシウム・マグネシウム

神経と神経の間でやりとりされる情報伝達物質は、カルシウムが運び手となっており、マグネシウムは、情報の量が多くなりすぎないように調節する働きを担っています。情報の伝達にはカルシウムとマグネシウムは欠かせない栄養素です。

スポーツでは、瞬時の判断力が求められ、想像以上に脳を使います。

脳の栄養となるのは炭水化物です。体内にとりこまれた炭水化物は消化されて糖に分解され、血液中に溶け出します。血液中の糖（ブドウ糖）の値を血糖値といいますが、脳の働きをキープするには、血液中に糖が維持された状態（血糖値の維持）でなければなりません。また、血液中の糖を脳に大量に送り届けるだけの血流量も必要です。

運動をする前にはさまざまな種類の炭水化物を摂取するのがよい、といわれる理由は、消化時間の異なる炭水化物をとれば、血糖値を維持し続けることができるからです。

神経伝達物質にも注目しましょう。神経伝達物質は脳から神経、神経から神経へ情報を伝達する微細な物質で、不足すると記憶力や判断力の低下につながります。神経伝達物質の材料は、ビタミンB群です。ビタミンB群は、豚肉や鶏肉、濃い緑の葉物野菜、バナナなどに多く含まれています。魚の脂に含まれるDHAもまた記憶力を高めます。いわゆる青魚と呼ばれるイワシやサンマ、ブリなどに多く含まれます。青魚が苦手なジュニアには、しょうがや梅干しを使った調理法で食べやすいように工夫を加えてください。

脳の働きをよくするには、日頃からしっかりとよく噛んで食べる習慣を身につけるのも大切です。噛む運動が脳を刺激し、脳の働きをよくすることにつながります。しっかりとした噛みごたえのある食材や調理法を心がけましょう。

OnePoint

神経伝達とカルシウム、マグネシウムの関係

脳の指令を体のすみずみに伝える神経伝達物質は、カルシウムとマグネシウムによってコントロールされています。カルシウムが情報伝達物質を運び、マグネシウムが情報伝達物質の量を調整しています。

カルシウムとマグネシウムの働き

カルシウム
情報伝達物質を運ぶ

マグネシウム
情報伝達物質の
量を調整

集中力を高める食品

集中力を高めるには、脳や神経が活性化する栄養素をとりましょう。集中力のアップはけがの予防にもつながります。

意識してとりたい食品

炭水化物

ごはん／もち／パン／うどん／スパゲッティ／じゃがいも、さつまいもなどのいも類など

ビタミンB群

豚肉／鶏肉／バナナ／レバー／マグロ／カツオ／納豆／牛乳／卵など

DHA

サンマ／アジ／マグロ／イワシ／サバ／ブリなど

知っておきたい栄養素

DHAって何？

DHAとは、マグロやカツオなど青魚の脂肪に豊富に含まれている脂肪酸です。人間の脳は水分を除くとおよそ半分が脂質です。その脂質のうちの4～5％がDHAでできています。特に記憶に関係する「海馬」と呼ばれる部分には、8～10％のDHAが存在しています。DHAが「脳の記憶力を高める栄養素」といわれるのはこのためです。

まとめ

- 集中力を高めるには脳と神経への栄養が必要
- さまざまな種類の炭水化物をとると集中力が持続

身長を伸ばすには?

生まれ変わる骨のために良質の栄養を補給しよう

重要度 ★★★★☆

遺伝的な要素が大きく関係することもあり、身長の伸びにはかなりの個人差があります。しかし、そういった個性に左右される中でも、栄養素の上手なとり方によって、最大限の可能性を追求していくことができます。

スポーツをするジュニアの場合は、骨は刺激を受けることで成長します。日頃のトレーニングで、骨にしっかりと刺激を与えているので、骨に必要な栄養素を上手にとることに集中しましょう。

骨は日々、少しずつ入れ替わっています。破骨細胞によって骨が壊され、骨芽細胞によって新しくつくられています。新しい骨の材料として、良質の栄養をとることが大切。骨を伸ばすとともに質のよい骨づくりを意識してください。

カラダのしくみ

成長を促す3つのホルモン

成長に関係するホルモンとしては成長ホルモンのほかに、甲状腺ホルモンや性ホルモンも骨の成長と成熟を促しています。性ホルモンは成長ホルモンの分泌を促す働きもあります。

成長ホルモン

骨の成長を促し、体格を形づくる役割がある。

甲状腺ホルモン

骨の成長と成熟を促す。

成長ホルモン

成長ホルモンの分泌や骨の成長を促す。

身長が伸びるしくみ

身長を伸ばすためには、土台となる骨を成長させる必要があります。
毎日の運動・食事・睡眠が成長に大きく関係しています。

生活習慣が身長を伸ばす

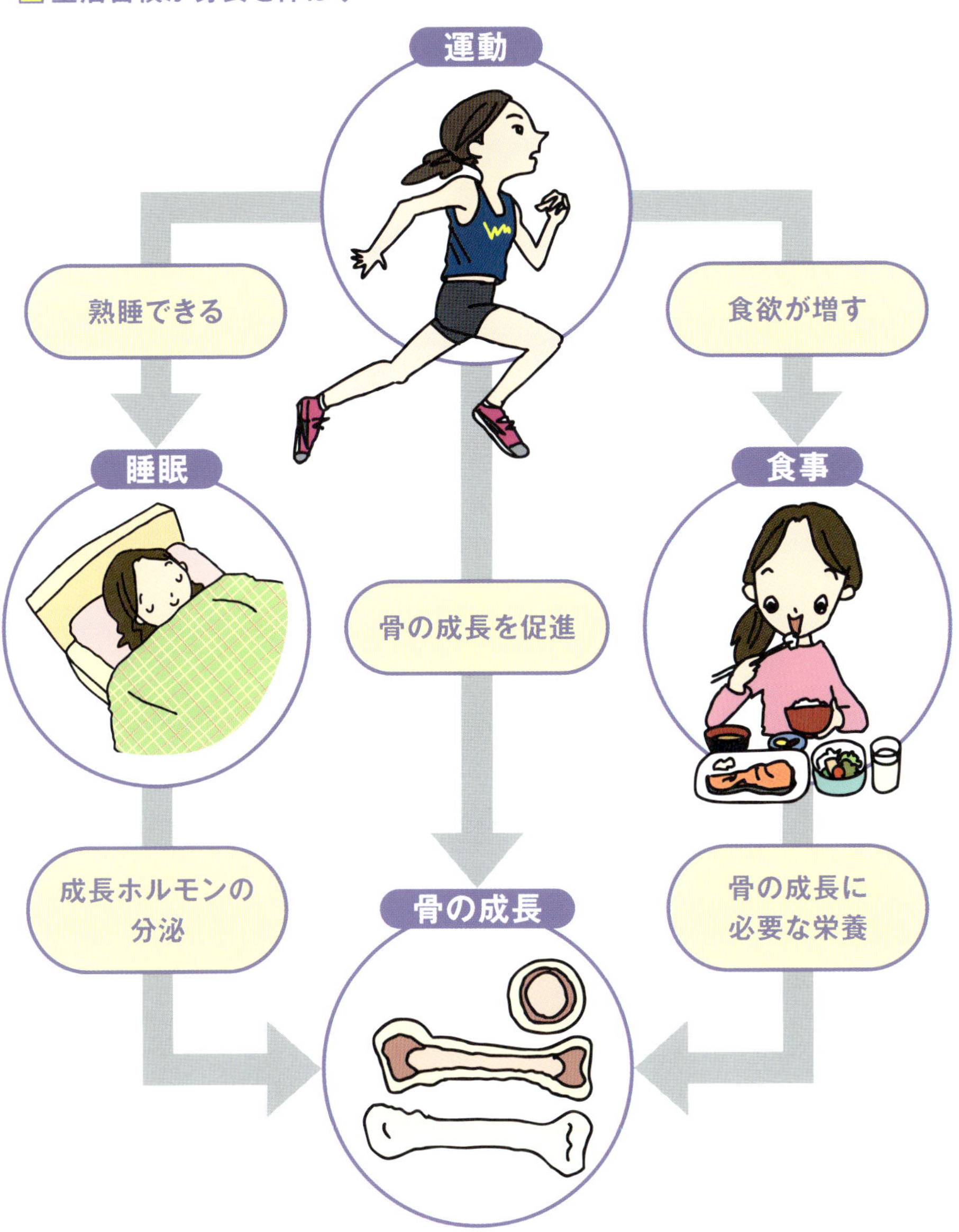

ジュニア世代が1日に必要とするカルシウムの量は、約650～1000mg。牛乳200ml（コップ1杯）あたりのカルシウム含有量は200mg強。1日にコップ5杯が必要量で、身長を伸ばすなら、これよりも多くのカルシウム摂取を目指します。

もちろん牛乳だけで摂取するわけではありませんから、チーズや小魚をおやつ代わりに食べるなど、目標をクリアするにはとり方に工夫が必要です。

また、カルシウムが体内で利用されるにはマグネシウムが必要です。マグネシウムを含む緑黄色野菜や海藻、ナッツを組み合わせて食べるようにしましょう。

骨は、たんぱく質とビタミンCの土台にカルシウムが付着してできています。10代のスポーツ選手のたんぱく質の1日の必要量は、体重1kgあたり2g。体重が60kgなら1日120gが必要で、意外に目標達成が大変な量です。不足分はプロテインで補いましょう。

ビタミンCの補給源として、果物や緑黄色野菜を欠かさないことも大切です。ビタミンB群は、身長を伸ばす上で欠かせない栄養素です。特に、たんぱく質の代謝を促すビタミンB6が重要です。ビタミンB6は、肉や魚、バナナなどに多く含まれています。

身長を伸ばすには、睡眠も欠かせません。重力から解放されて横になることで、骨が成長していきます。そのため、質の良い睡眠をとることが大切です。

カラダのしくみ

小学生～高校生で身長は大きく伸びる

小学校高学年の頃になると、まず、女子から大きく身長が伸び始めます。男子が大きく身長を伸ばすのは中学・高校時代に入ってから。女子は小学生の頃よりは成長率が少なくなります。

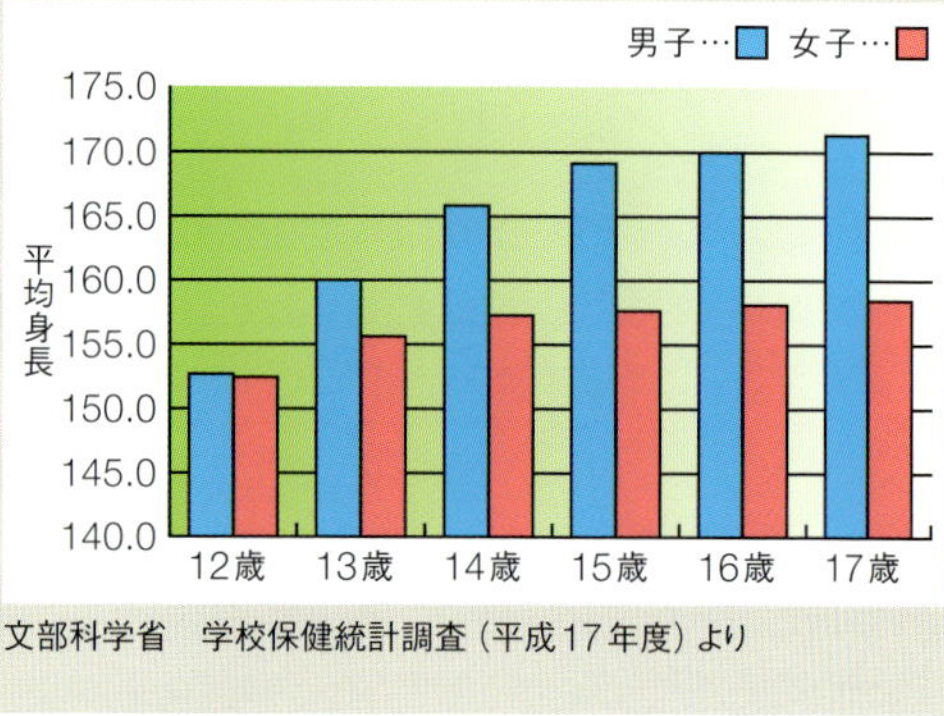

男子…■　女子…■

平均身長

175.0
170.0
165.0
160.0
155.0
150.0
145.0
140.0

12歳　13歳　14歳　15歳　16歳　17歳

文部科学省　学校保健統計調査（平成17年度）より

身長を伸ばす食品

骨の材料となるカルシウムとたんぱく質、ビタミンB群をとりましょう。

早寝早起きの生活をすることが大切です。

意識してとりたい食品

たんぱく質

肉類／魚介類／ハム、ソーセージ／豆腐／納豆／豆類など

ビタミンB群

豚肉／鶏肉／バナナ／レバー／マグロ／カツオ／納豆／牛乳／卵など

カルシウム

牛乳／ヨーグルト／チーズ／小魚／豆腐／小松菜／高野豆腐など

知っておきたい栄養素

インスタント食品と白砂糖は避けること

注意したいのが、白砂糖（精製された砂糖）とリンというミネラルです。いずれも、とり過ぎるとカルシウムの吸収率を下げてしまいます。

特に、白砂糖は、「エンプティカロリー」と呼ばれ、摂取すると分解するときに貴重なカルシウムを消費してしまうのです。お菓子や菓子パンなどの甘い物を避けたい理由は、このためです。

リンは、インスタント食品のほか、スナック菓子や清涼飲料水にも含まれている場合があるので、成分表示をよく確認してください。

まとめ

- 不足しがちなカルシウムは目標量を意識してとる
- 良質な骨をつくるにはたんぱく質、ビタミン、ミネラルが必要

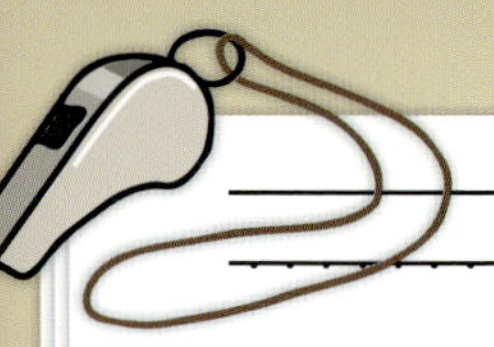

Column 6

夏だけではない。熱中症には一年中注意を

真夏の晴れた日に熱中症は起こると考えられがちですが、実は、熱中症の原因は体温の上昇によります。汗には、蒸発するときの気化熱によって体温を下げる働きがありますが、曇りの日でも、湿度が高く汗が蒸発しにくいときには体温が下がらずに熱中症になることがあるのです。特に、激しい運動を行うスポーツ選手は体温が上昇しやすく、一年を通して熱中症にかかる危険性があります。トレーニング中や試合、競技中に、頭痛やめまい、吐き気などの症状が現れたら、季節や屋外・室内を問わず、まずは熱中症を疑いましょう。日陰などの涼しいところへ移動し、水分を補給して、氷があれば身体を冷やします。大量の発汗も熱中症の原因となりますから、汗をかいているなら、塩分の補給も必要。症状の強さにより、意識がないなどの場合には、救急車を呼ぶなどすみやかに対応する必要があります。

熱中症の症状と対策

症状		対策
めまい、筋肉痛、こむら返り、大量の発汗	➡	涼しい場所に移し、水分補給。首筋、脇の下、脚のつけ根を冷やす。
頭痛、吐き気、嘔吐、虚脱感	➡	上記と同様。体が熱ければ冷やし、冷たければ温める。
意識障害、けいれん、高体温	➡	意識がない場合は、すぐに救急車を呼ぶ。

Part 7

試合に合わせて体をつくる

試合が近づいてきたら、
本番に向けて食事も気配りが大切です。
トレーニングの成果を100％発揮できる
食事法を身につけましょう。

46

試合間近の食事は?

エネルギーをため込んで試合に向けた体をつくる

重要度 ★★★★☆

試合が近づいたら、トレーニングで傷ついた筋肉を修復し、消耗したエネルギーを回復させ、さらにはため込んだ状態にすることが大切です。

筋肉にエネルギーをため込む方法として、グリコーゲン・ローディングというトレーニング・モードの体を試合で戦う体に切り替える食事法が知られています。グリコーゲン・ローディングは試合の2週間前からを「体のコンディションを整える期間」、試合の1週間前からを「エネルギーをため込む期間」にあてます。試合の4日前まではたんぱく質を多めにとり、体に「もっと炭水化物がほしい」と感じさせ、試合前日までは炭水化物を多めにとることで、エネルギーを効果的にいつも以上にため込むことができます。

OnePoint

試合前には3大栄養素のとり方を調整する

通常のトレーニング期の3大栄養素のとり方のバランスは、炭水化物60%、脂肪25%、たんぱく質15%が理想。試合前には炭水化物を多めにとって、エネルギーを蓄えましょう。

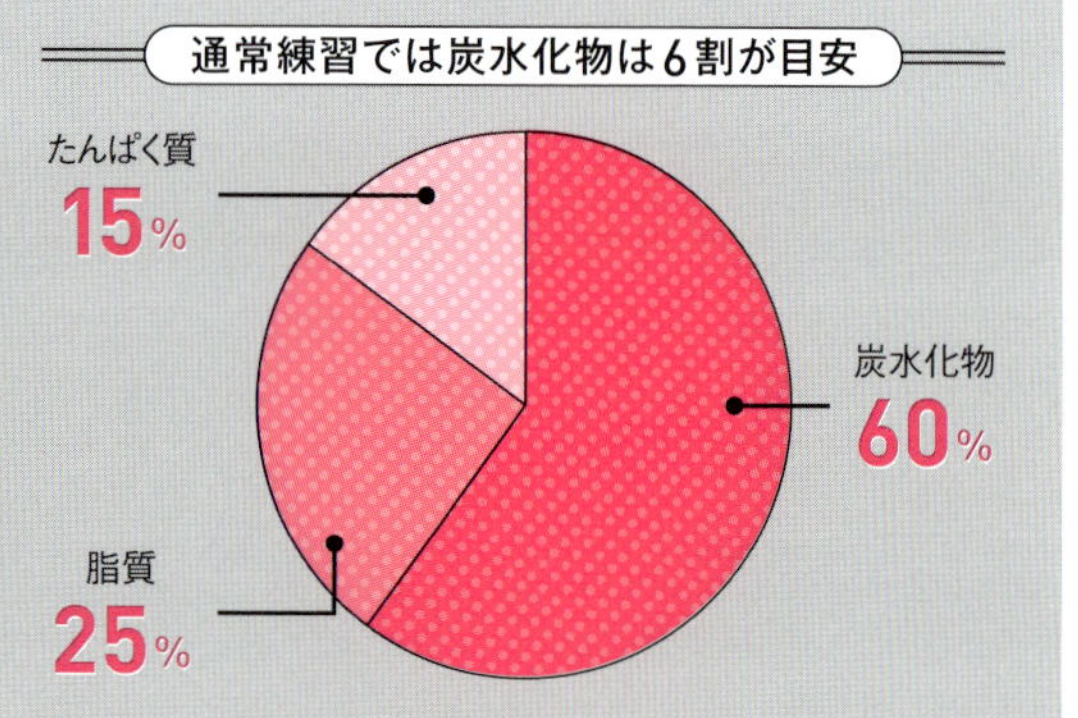

グリコーゲン・ローディングについて

エネルギーを筋肉にためるのがグリコーゲン・ローディングです。
試合で最高のパフォーマンスを発揮するための方法を解説します。

▣ グリコーゲン・ローディングの行い方

試合2～1週間前 …… 準備期間

●胃腸の働きを整える
- ゆっくり噛んで食べる
- 消化のよいものを食べる（同じ食材でも火を通す、揚げる料理法は用いない）
- 食物繊維の多いものは避ける
- 乳酸菌を積極的にとる

●代謝や神経の働きを活発にする
- ビタミンB群を意識してとる
- カルシウム、マグネシウムを意識してとる

●ストレス対策
- カルシウム、マグネシウムを意識してとる
- ビタミンC、ビタミンEを多くとる

試合1週間前～ …… グリコーゲン・ローディング

月・火・水　前半期　たんぱく質多め
- 低脂肪、高たんぱく質食品をとる
  動物性たんぱく質と植物性たんぱく質を組み合わせてとる
- たんぱく質分解酵素を含む食べ物をとる
  たんぱく質の消化をサポートする食品（パイナップル、生野菜、大根おろし）
- カルシウムを積極的にとる
  たんぱく質の摂取により、損失しやすい栄養素をとる
- ビタミンB_6、ビタミンB_{12}、パントテン酸をとる
  たんぱく質の利用に必要な栄養素

木・金・土　後半期　炭水化物多め
- 炭水化物を多くとる
  ごはんが十分食べられないときは、補食や果物を利用
- ビタミンB群、マグネシウムを積極的にとる
  炭水化物の利用に必要な栄養素
- アリシンをとる
  ビタミンB群の吸収を高める栄養素
- クエン酸をとる
  グリコーゲンの貯蔵を促す

日　試合

グリコーゲン・ローディング期間中のポイント
- ●トレーニング直後の栄養摂取（炭水化物中心）
- ●ストレス対応（カルシウム、マグネシウム、ビタミンC）

まとめ
- ●試合に向けた体づくりにはエネルギーをためる食事法が大切

47

試合前の体調管理は?

体調を整える食べ物でプレッシャー対策

重要度★★★★★

試合が近づくと、おなかの調子が悪くなったり、風邪をひいてコンディションを悪化させてしまう選手は少なくありません。これは、高まる緊張やプレッシャーからビタミンCやカルシウム、マグネシウムが失われてしまうため。体に必要な栄養を備えたら、「楽しむ」気持ちに切り替えることが大切です。

また、ストレスを受けると腸内環境が悪化して、善玉菌よりも悪玉菌が優位に働くようになり、体の免疫力が落ちてしまうことがあります。乳酸菌を積極的にとるようにしましょう。

食事以外にも、汗で体が冷えないように着替えのタイミングに注意したり、こまめに汗をふく習慣をつけたりすることも大切です。

OnePoint

選手の体調管理は食事・体重・睡眠重視

味の素ナショナルトレーニングセンターが行ったアンケートによると、選手が体調管理で重視しているのは、食事・体重・睡眠などであることがわかりました。

味の素（株）と日本オリンピック委員会がアスリートを対象に行った体調管理に関する調査（2010年3月実施）

試合前に体調をくずさないために

プレッシャーから体調をくずすことのないようにしましょう。
食事で免疫力を高めることが大切。

■ 試合前の体調を整える栄養のとり方のポイント

Point1

緊張やプレッシャーで失われる栄養素を積極的に補給

ストレスを受けると、体からはビタミンＣやカルシウム、マグネシウムが失われてしまいます。ビタミンＣは柑橘類や緑黄色野菜、カルシウムは乳製品や木綿豆腐、小松菜などに、マグネシウムは大豆、ひじき、ホウレン草などに多く含まれています。試合が近づいたら積極的にとりましょう。

ビタミンＣが豊富な食品

レモンなどの柑橘類、イチゴ、柿、緑黄色野菜

Point2

免疫力を高めるために腸内環境を整える

腸内に悪玉菌が増えると免疫力が低下して、体の不調を招きます。乳酸菌やビフィズス菌を多く含む食材や食物繊維をとることで、腸内の善玉菌が増えて、免疫力を高めることができます。また、ビタミンB_6には、体内に侵入した異物に対する抗体をつくる働きがあります。

免疫力を高める食品

・乳酸菌…チーズ、ヨーグルト
・食物繊維…ごぼう、干し柿、リンゴ
・ビタミンB_6…バナナ、マグロ、レバー

トレーニング後の筋肉はしっかりアイシングしよう

運動後、クールダウンのストレッチを行ったら、アイシングをしましょう。アイシングをすると、筋肉はいったん収縮しますが、収縮を元に戻そうとして、一気に血流が増加します。これにより、筋肉をほぐし、損傷した筋肉を早く回復させ、疲労を軽減する効果があります。練習後のアイシングを習慣にしましょう。

まとめ

- 緊張で失われる栄養素や、免疫力を高める栄養素をとる
- 試合を楽しむ気持ちに切り替えてストレスを減らす

試合前日の食事法は？

消化のよいものを選び いつも通り過ごそう

重要度 ★★★★★

試合の前日の食事は、体に負担をかけない、消化しやすいものを選びます。脂肪分の多い食品や香辛料などの刺激の強いものは控えます。ゲンかつぎのトンカツは体調面からいえば試合前にはおすすめできません。また、おなかにガスが溜まりやすくなるため、試合前日はごぼうやひじきなどの食物繊維の多い食品は避けましょう。

むしろ、特別なことをせず、いつも通りに過ごすことが大切です。よく噛んで食べる、夕食を就寝の3時間前にすませて早く寝るといった、いつもの生活リズムで過ごすことが緊張を和らげます。どうしても緊張で食欲がわかないときは、煮込んだうどんなど消化のよいめん類をよく噛んで食べたり、野菜ジュースなどで栄養を補いましょう。

OnePoint

試合の移動で座りっぱなしは危険

飛行機や車での遠征で長時間同じ姿勢を続けていると、血栓ができる「エコノミー症候群」になることがあります。こまめに水分補給をしたり、軽い運動をするなどして予防しましょう。

エコノミー症候群の予防法

1時間に
体重**1kg**あたり**2.0～2.5ml**を
目安に**水分補給**

（例）
体重60kgの人なら、1時間あたり
60kg×2.0～2.5ml＝120ml～150mlの
水分補給が目安

試合前日の食事のコツ

試合前日は落ち着いていつもと同じように過ごすことが大切。
消化のよい食事を心がけましょう。

■ 試合前日の食事の考え方

1
脂肪の多い食品や揚げ物などの油っこい料理は控える

2
刺激の強い香辛料はとり過ぎないようにする

3
生ものや食べ慣れない食品は避ける

4
夕食は就寝の3時間前までにすませる

5
よく噛んで食べる

6
食欲がないときはのどごしのよいめん類などを食べる

7
野菜ジュースや果汁100％ジュースなどでビタミンをとる

8
上白糖などの単糖類の過剰摂取を避ける

まとめ

- 試合前日の過ごし方は「いつも通り」がベスト

試合当日の食事は?

タイムテーブルに合わせて栄養戦略を立てる

重要度 ★★★★★

試合当日は、競技開始の3～4時間前から3段階に分けてエネルギーを摂取する計画を立てます。最も必要な栄養素は糖質を多く含む炭水化物です。

まず、消化時間から計算して、試合のおよそ3時間前にごはんやパン、めん類など主食の炭水化物とたんぱく質をしっかりとります。果物を一緒にとるのがおすすめです。

試合前に少し食べられる場合や、朝食であまり食べられなかったとき、試合1時間前であれば、消化のよいバナナや小さいおにぎりやパン、100%果汁ジュース、エネルギー系のゼリーなど、試合30分前なら、固形物の摂取は避け、スポーツドリンクやエネルギー系のゼリーで補給をしましょう。エネルギー満タンにして試合に臨む事が大切です。

OnePoint

試合中もこまめな水分補給を忘れずに!

試合が長時間になるときには、忘れずこまめに水分を補給しましょう。試合中の水分補給は15分に1回、コップ半分～1杯程度の水分を補給します。基本はスポーツドリンクがおすすめ。

試合中の糖質と水分補給

試合前は**500ml**の**水分**を**何度かに分けて飲む。**

試合中は**15分**に**1回**、**100～200ml**の**水分補給**を**行う。**

試合中の**飲み物**は**吸収のよいスポーツドリンク**が**おすすめ。**

試合当日の食事のコツ

試合中にパワーを発揮し、エネルギー切れにならないことが大切。
試合の時間に合わせて食事をとるようにしましょう。

▣ 午前中に試合がある場合は、試合開始の3時間前までに朝食をすませる

午前10時に試合がある場合

7:00 3時間前
腹持ちのよいおにぎりなど、炭水化物の多い食事をとり、たんぱく質もとる。
食事 ごはん、おにぎり、力うどん

9:00 1時間前
1時間前までにバナナやエネルギーゼリーを補給。
食事 バナナ、エネルギーゼリー

9:30 30分前
スポーツドリンクでエネルギー補給。
食事 スポーツドリンク

10:00 試合
試合前に胃の中に未消化の食べ物を残さないためにも、試合開始の3時間前までには朝食をとっておこう。

▣ 午後に試合がある場合は、試合に合わせて昼食の時間を考える

午後2時に試合がある場合

8:00 朝食
炭水化物中心の食事をとり、たんぱく質もとる。
食事 炭水化物中心の朝食

11:00 3時間前
腹持ちのよいおにぎりなど、炭水化物の多い食事をとる。
食事 ごはん、おにぎり、力うどん

13:00 1時間前
1時間前までにバナナやエネルギーゼリーを補給。
食事 バナナ、エネルギーゼリー

13:30 30分前
スポーツドリンクでエネルギー補給。
食事 スポーツドリンク

14:00 試合
試合前に胃の中に未消化の食べ物を残さない!

■ 早朝に試合がある場合は、早寝早起きで朝食をしっかり食べる

午前8時に試合がある場合

5:00
3時間前

腹持ちのよいおにぎりなど、炭水化物の多い食事をとり、たんぱく質もとる。

食事 ごはん、おにぎり、力うどん

7:00
1時間前

1時間前までにバナナやエネルギーゼリーを補給。

食事 バナナ、エネルギーゼリー

7:30
30分前

スポーツドリンクでエネルギー補給。

食事 スポーツドリンク

8:00
試合

試合時間が早いことがわかったら、数日前から早寝早起きのサイクルに慣れておきましょう。

■ 夕方に試合がある場合は、試合3時間前に補食をとる

午後5時に試合がある場合

8:00
朝食

炭水化物中心の食事をとり、たんぱく質もとる。

食事 炭水化物中心の朝食

12:00
昼食

炭水化物中心の軽い食事をとる。

食事 炭水化物中心の昼食

14:00
3時間前

補食として、おにぎりなど消化のよい炭水化物をとる。

食事 おにぎり

16:00
1時間前

1時間前までにバナナやエネルギーゼリーを補給。

食事 バナナ、エネルギーゼリー

16:30
30分前

スポーツドリンクなどでエネルギー補給。

食事 スポーツドリンク

17:00
試合

スタミナ切れを起こさないためにも、3時間前に炭水化物をとります。昼食の時間をずらしたり補食で補うなどしてください。

▣1日に2回試合がある場合は、昼食の時間に注意して

午前10時と午後4時に試合がある場合

時間	内容	食事
7:00 3時間前	腹持ちのよいおにぎりなど、炭水化物の多い食事をとり、たんぱく質もとる。	ごはん、おにぎり、力うどん
9:00 1時間前	1時間前までにバナナやエネルギーゼリーを補給。	バナナ、エネルギーゼリー
9:30 30分前	スポーツドリンクでエネルギー補給。	スポーツドリンク
10:00 試合	**試合が終わったら、すぐに水分と炭水化物、たんぱく質の補給を。**	
13:00 3時間前	腹持ちのよいおにぎりなど、炭水化物の多い食事をとる。	ごはん、おにぎり、力うどん
15:00 1時間前	1時間前までにバナナやエネルギーゼリーを補給。	バナナ、エネルギーゼリー
15:30 30分前	スポーツドリンクでエネルギー補給。	スポーツドリンク
16:00 試合	**午後の試合に合わせて、食事が3時間前になるように昼食の時間を調整しましょう。**	

最終の試合直後には必ず
水分＋糖質＋たんぱく質を摂取!

→詳しくは次ページ

まとめ

- **食事は試合の3時間前にとって、消化に体力を使わない**
- **試合1時間前は、胃腸に負担をかけずに栄養補給できるものを**

試合後の食事は?

糖質とたんぱく質を急速チャージしよう

重要度 ★★★★★

試合直後は、汗で水分も失われ、エネルギーもすっかり空になった状態です。クールダウンのときに必ずコップ1~2杯の水分を補給します。ミネラルウォーターや水道水よりも吸収されやすいスポーツドリンクや果汁100%ジュースを選ぶとよいでしょう。

運動後20分以内を目安に炭水化物とたんぱく質を摂取すると、エネルギーが素早く回復し、筋肉のダメージもすみやかに修復されます(P92参照)。試合が続く人はエネルギー補給のできるスポーツドリンクを飲むようにしてください。

汗とともに失われたビタミンやミネラルの補給も必要です。果汁100%ジュースやスポーツドリンクはその点でも優れているといえるでしょう。

栄養の基本

試合の差し入れはエネルギー補給食品を

試合に出場する選手のために差し入れを持っていくなら、具の入っていない塩むすびやバナナやリンゴなどの果物、エネルギーゼリーなどがおすすめ。脂質が多いスナック菓子やフライドチキンなどの揚げ物は厳禁です。

試合後の食事のコツ

エネルギーを使いきった体に急いで栄養補給をすることが大切です。炭水化物とたんぱく質を同時にとることで効果が高まります。

▣ 試合直後の栄養補給

20分以内に炭水化物とたんぱく質を補給

試合直後は、20分以内に炭水化物とたんぱく質を補給してください。試合直後は内臓の働きも低下しているため固形物ではなく、まずは液体をとるようにすると胃腸への負担が軽減できます。

試合後におすすめの食品

【糖質】果汁100%ジュース
【たんぱく質】プロテイン・アミノ酸・ゼリーなど
【クエン酸】黒酢、りんご酢、レモン果汁

▣ 試合後の食事・補食のポイント

Point1 たんぱく質をたっぷり補充

試合でダメージを受けた筋肉を修復するためにたんぱく質をたっぷりとりましょう。疲労しているときは、内臓も同様に疲れています。かたまり肉ではなく、薄切り肉やひき肉など、消化吸収のよいものを選んで。

Point2 炭水化物もたっぷりと

試合で使い果たしたエネルギーを再びチャージしましょう。糖質の吸収を高めるビタミンB群も合わせてとると効果的です。

Point3 ミネラルを補給

試合では、汗とともに鉄分やカルシウム、マグネシウムなども一緒に失われてしまいます。ミネラル分も意識してとるようにしましょう。

Point4 体を酸化から守る

試合での緊張と疲労が続くと、体の中では活性酸素が発生します。活性酸素が増えすぎると、細胞を老化させて健康に悪影響を及ぼします。ビタミンCやEなどの抗酸化作用のある栄養素をとりましょう。

まとめ

- 試合直後20分以内に、炭水化物:たんぱく質=3:1の内容を液体で栄養摂取すると回復が早い

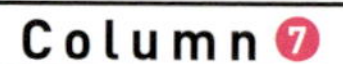

Column ⑦

オフシーズンには体力の回復とメンタルの強化を図る

試合や練習が続く時期を「シーズン中」とするなら、次のシーズンまでの休みの期間が「オフシーズン」と考えられます。プロのアスリートはオフシーズンでも個人練習を続けていますが、競技に強い体づくりのためにジュニアたちもトレーニングを続けるかもしれません。

練習がオフ＝お休みの時は、心と体のリフレッシュをおすすめします。ダラダラ過ごすことがオフではありません。疲れたり傷ついたりした体を修復できる大切な時間です。家族や友人と出かけるなど、いつもとは違う過ごし方をすることで、次回の練習への集中力も増します。この期間に体脂肪を増やしたくないなら、脂質を控えるように心がけてください。たんぱく質とビタミン、ミネラルはいつも通り摂取して、エネルギーと筋力の低下を極力抑えましょう。炭水化物については、運動量によって摂取量を調節してください。

オフシーズンの食事のとり方のコツ

脂肪はひかえめにする	体脂肪を増やしたくないなら、食事の量を減らすのではなく、脂肪を減らすことを心がけましょう。
炭水化物とたんぱく質をとる	次のシーズンへの体力をつけるために、炭水化物とたんぱく質をしっかりとって、エネルギーの貯蔵と筋力アップをはかりましょう。
神経によい栄養をとる	ビタミンB群やカルシウム、マグネシウムには神経の働きをよくして集中力をアップさせる効果があります。

Part 8
スポーツのための
栄養Q&A
スポーツと栄養に関するよくある質問を
Q&Aでまとめました。
基本となる項目ですので、
しっかり押さえておいてください。

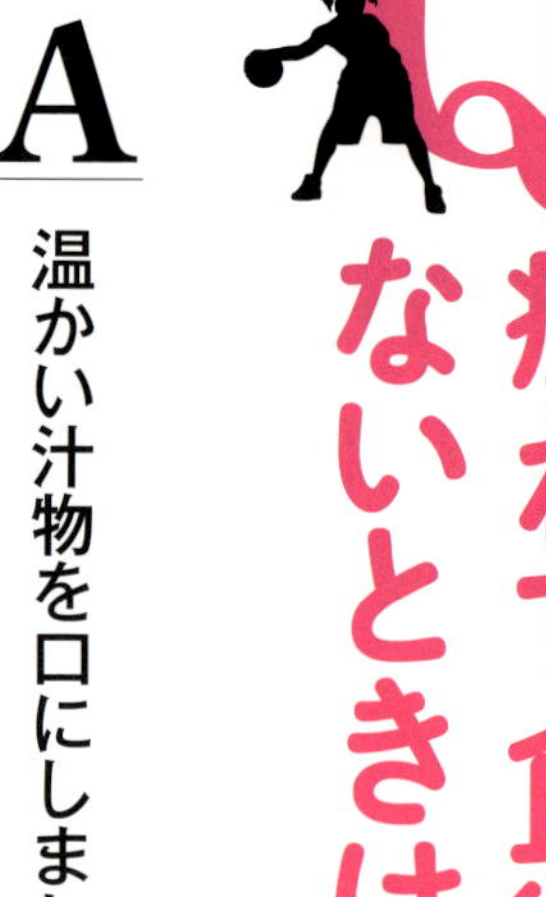

Q1 疲れて食欲がないときは？

A 温かい汁物を口にしましょう

食欲がないからといって一食抜いてしまうのは感心しません。食事の間隔があくと、脳は、体が今、飢餓状態にあると判断して、次回の食事で必要以上に脂質を吸収してしまうのです。食欲がないと感じたらまず、温かい汁物を口にしましょう。これから食べ物が入ってくる消化器官のウォーミングアップと考えてください。

また、よく噛むことも大切です。噛むことで食べ物が細かく砕かれ、消化の際に体にかかる負担を軽くしてくれるのです。さらに、噛むことは体内に食べ物が入ってくるということを消化器官に伝える役割を担っています。よく噛むことで消化器官が動き出し、食べ物を紹介する準備が整うのです。めん類もしっかり噛んで食べましょう。

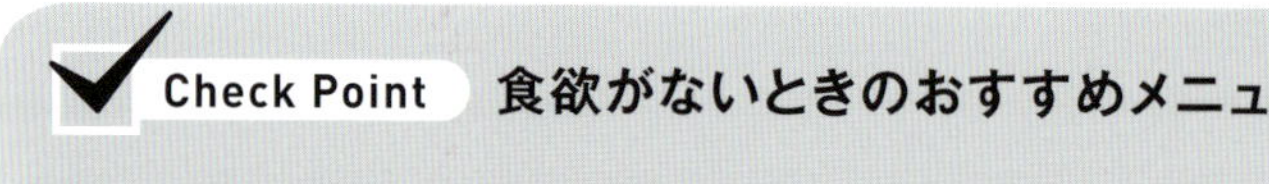

食欲がないときのおすすめメニュー

温かい汁物を口にする

めん類は具だくさんなものを選ぶ

Q2 朝食を食べる時間がないときは？

A 朝食抜きはNG。どうしても時間がないときは補食をとる

朝食を抜くことは、スポーツするジュニアにとっては厳禁です。特に午前中にトレーニングや試合がある場合、朝食のあり方が運動能力に大きな影響を与えます。時間がない場合でも、脳と体（筋肉）のエネルギー源となる炭水化物と、体温を上げるたんぱく質を補給し、活動へのスイッチを入れましょう。どうしてもしっかり朝食がとれない場合は、バナナなどの炭水化物とビタミンがとれる果物や、エネルギー系のゼリー、果汁１００％ジュースなどを口にしましょう。また、昼食の時間までに、朝食でとれなかった栄養素を補食として摂取することも大切です。日常的に朝食の時間がない場合は、早寝早起きの生活習慣に改め、少量でもよいので朝食をとる習慣づくりからはじめましょう。

Check Point 朝食を食べる時間がとれないときは

基本 朝食抜きはNG	どうしても朝食がとれないときは
身につけたい習慣	対策
早寝早起きで朝食の時間をとる。	果物や果汁100％ジュース、エネルギーゼリーなどをとる。

Q3 好き嫌いが多くて全部食べられない

A 別の食品に置き換える、調理法を工夫するなどして少しずつならす

まず、好き嫌いと食べられないということは違うことを理解することが大切です。例えば食物アレルギーで避けなければならない食べ物があったり、食べると体調をくずすことを以前の体験からわかっている食べ物があったりします。これは好き嫌いとは別の問題です。

嫌いな食材の栄養素を補完する食材はほかに必ずあります。例えば、苦手な野菜があれば、ほかの野菜の同じ部位を利用します。無理に食べさせるのではなく、まずは食べられるものを探しましょう。また、調理の仕方を工夫すれば、食べられることもあります。少しずつでいいので食べる量を増やしていきましょう。なぜこの食材をとる必要があるかを理解することも大切です。

Check Point 野菜の部位を覚えておこう

1 根茎の野菜
- ごぼう
- れんこん
- タケノコ
- タマネギ など

2 実の野菜
- トマト
- カボチャ
- なす
- きゅうり など

3 葉の野菜
- はくさい
- チンゲンサイ
- キャベツ
- レタス など

Q4 足がつりやすいときの対処法は？

A ミネラル成分の不足が原因です。水分とともに補給を忘れずに

足がつる状態は、医学用語では「筋痙攣」といいます。筋肉に関係する神経が異常に興奮している状態で、長時間運動しているときによく起こります。

なぜ神経が興奮するのか、その原因は、筋肉の収縮に関連するカルシウムやカリウム、マグネシウムなどのミネラル成分が不足しているためです。トレーニング中、また試合や競技中には、水分を補給するとともにこれらのミネラル群の補給を行うことで、足のつりを防止することができます。また、筋肉の疲労を軽減するビタミンB群も合わせて摂取します。

もちろん、日頃からミネラルを多く含む食事をとることが最も大切な防止策です。水分と一緒にとるように心がけましょう。

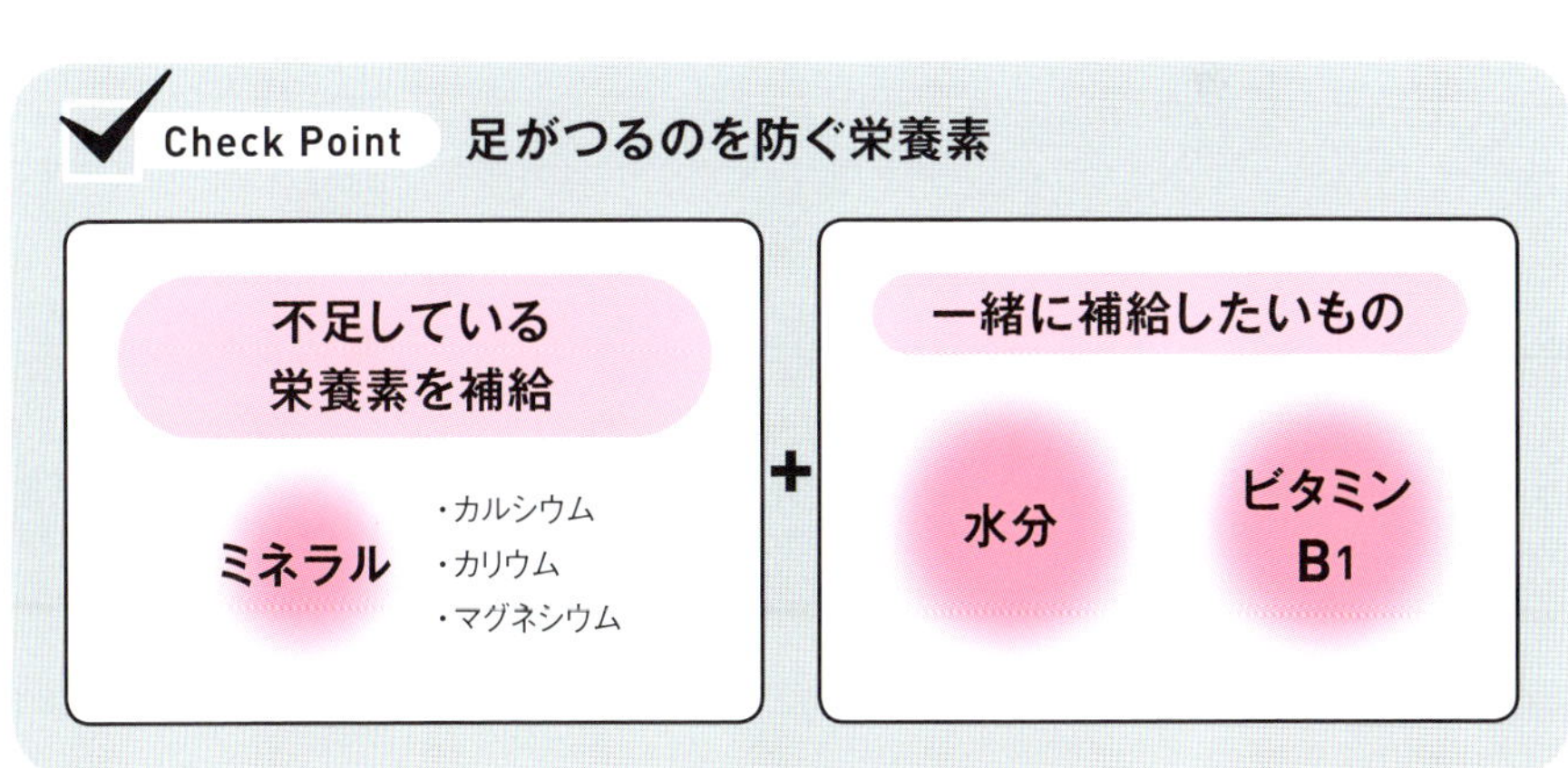

Q5 炭酸飲料はNG？

A 炭酸飲料に含まれるリンがカルシウムを排出してしまう

インスタント食品や清涼飲料水はスポーツするジュニアにとっては、あまりいい影響を与えません。その理由は、これらに含まれるミネラルの一種、リンにあります。リンには大量に摂取すると体内のカルシウムと結合して体外に排出してしまう性質があります。カルシウムは骨の成長や強化など、スポーツするジュニアにとって非常に重要なミネラルです。リンはその吸収を阻害してしまうのです。炭酸飲料には糖が多く含まれていますが、吸収が早いためエネルギー源として長持ちしません。また、炭酸ガスは、たくさん飲むと食欲の低下につながります。できるかぎり控えるようにしてください。もしどうしても炭酸が飲みたければ果汁１００％ジュースと、炭酸水を混ぜて飲むとよいでしょう。

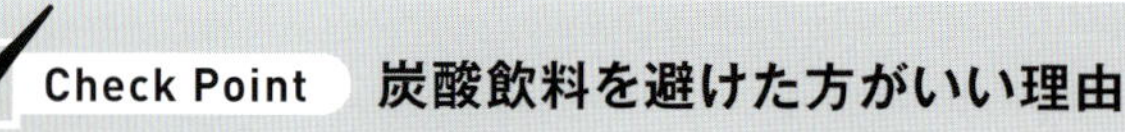

炭酸飲料を避けた方がいい理由

リン

炭酸飲料に含まれるリンに要注意

リンが体に与える悪い影響

- カルシウムを体外に排出してしまう
- たくさん飲むと食欲の低下を招くなど

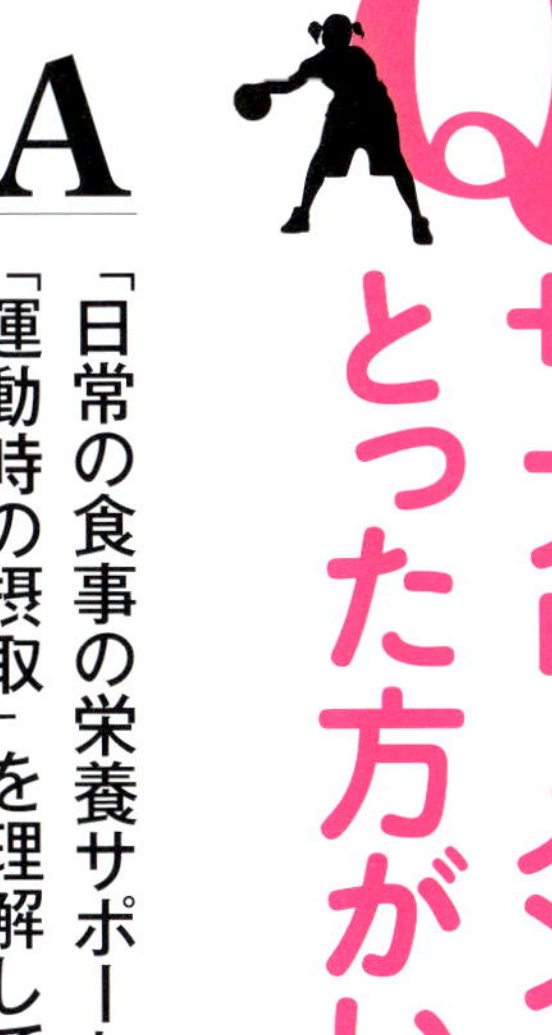

Q6 サプリメントはとった方がいい?

A 「日常の食事の栄養サポート」と「運動時の摂取」を理解して使い分ける

スポーツでは、サプリメントを大きく2つに分けて考えます。

ひとつには、毎日の食事で不足する分を補うもの。プロテインやビタミン剤などがこれにあたります。本来、食事でしっかりとれていれば必要がないのですが、時間がないときやたくさん食べられないときに上手に利用してください。食事のタイミングでとるとよいでしょう。

ふたつめは、スポーツ時に、必要な栄養素を摂取するもの。運動前や運動中に、水分と糖質が同時にとれるスポーツドリンク、運動後には炭水化物とたんぱく質、ミネラルなどが同時にとれるいわゆるリカバリードリンクは、パフォーマンスの向上には欠かせません。サプリメントはシーンに合わせて上手に正しくとりましょう。

Check Point サプリメントを使うのはこんなシーン

日常の食事の栄養補給

- たくさん食べられず必要量が得られないとき
- 遠征中など、食事の栄養分が偏るとき

マルチビタミン・鉄・プロテイン など

運動前中後の栄養補給

- 運動前・中の水分補給として（主に水分＋糖質）
- 運動直後の栄養補給として（主に水分＋炭水化物＋たんぱく質）

消化に体力を使わないようにすることが大切です。

Q7 風邪を早く治すには？

A 無理をせずおなかにやさしい食事と水分補給を心がけて

おかしいと感じたらすぐに医師に診てもらうことが重要です。風邪は伝染しますから、まずは仲間たちに迷惑をかけないことを考えましょう。

食欲がない場合には無理に食べる必要はありません。胃腸にやさしく消化によいおかゆや煮込んだうどん、汁物やスープ、果物など、食べられるものを口にします。発熱などで脱水状態になることを防ぐため、水分補給には特に気をつかいましょう。ミネラルや糖分を含むスポーツドリンクは、体への吸収が早いため、こまめにとり続けてください。

風邪はかかる前の対策が大切です。手洗い、うがい、人ごみでのマスク着用などを日頃から習慣づけることで、風邪のウィルスから身を守りましょう。

Check Point 風邪と感じたら

消化にやさしい食事を
おかゆや煮込んだうどん、汁物、スープ、果物など消化に体力を使わないものを。

水分補給はたっぷりと
脱水症状を防ぐため、スポーツドリンクなど、たっぷりと水分をとりましょう。

無理せずきちんと休養
風邪をひいたと思ったら、きちんと休養をとり、医師の指示をあおぎましょう。

Q8 効果的な夏バテ対策は？

A 運動中の十分な水分補給と旬の野菜からの水分補給がおすすめ

夏バテ対策は、上手な水分のとり方にあります。運動中に十分に水分補給をして運動後のガブ飲みを防ぎましょう。運動中の水分摂取は、1回につき100〜200ml。口をしめらせる程度では小腸に届くのに時間がかかり、のどの渇きがおさまりません。ただし飲みすぎも禁物。おなかがいっぱいになって食事が十分とれなくなってしまいます。また、ガブ飲みで胃液が薄まると、胃腸の働きが弱まって消化吸収率が悪くなり、さらに胃腸が弱るという悪循環に陥ります。

運動以外での水分補給は、トマトやスイカなど夏が旬の野菜や果物がおすすめ。トマトのリコピンには紫外線から体を守る抗酸化作用があるなど、水分以外の栄養素がとれて一石二鳥です。

Check Point 夏バテの防ぎ方

練習中は十分に水分補給
1回にとる水分量は100〜200mlが目安。少なすぎず多すぎない量をとります。

練習後にガブ飲みしない
ガブ飲みすると、胃腸の働きが衰えたり、食事が入らなくなることも。

日常の水分補給は野菜や果物で
スイカやピーマン、パイナップルなど旬の野菜・果物で他の栄養素も一気に摂取。

Q9 試合前の緊張をほぐす栄養のとり方は？

A プレッシャーや緊張によって消費してしまう栄養を補給する

緊張が続いたり、試合へのプレッシャーが高まったりして強いストレスを受けると、体は、ストレスに対抗しようとしてビタミンCやカルシウム、マグネシウムを消費されてしまいます。これらの栄養素には、緊張を和らげようとする抗ストレス作用があるのです。

緊張すると手足の筋肉がこわばってうまく動けなくなるのは、これらの栄養素が不足するため。特にカルシウムとマグネシウムは、情報伝達物質をコントロールする役割を担っているため、不足すると脳からの指令がうまく筋肉まで伝えられなくなり、思い通りに動けなくなってしまうのです。

緊張せずに試合でのびのびプレイするためにも、ビタミンCやカルシウムを含む食品をとりましょう。

Check Point 緊張をほぐす栄養素

ビタミンC	カルシウム	マグネシウム
イチゴ、ブロッコリー、カリフラワー、ホウレン草、さつまいも	ヨーグルト、牛乳、チーズ、木綿豆腐、小松菜、納豆	アーモンド、大豆、ひじき、玄米ごはん、ホウレン草

Q10 夜食は食べてもよい？

A OKです。就寝の1時間前までに胃腸にやさしい物を食べること

確かに、「夕食は夜の7時で夜10時までに寝ることが理想」です。夜の10時～夜中の2時までの成長ホルモンが分泌するゴールデンタイムに就寝しているのが重要です。ところが、現実としては、なかなかそれを実践できる人は少ないのではないでしょうか。帰宅してすぐや塾に行く前などの早い時間に夕食を食べると、就寝前にはおなかがすいて眠れないということもあるでしょう。

そんなときには、就寝の1時間前を限度に、夜食をとってもかまいません。スープや汁物、野菜ジュースやエネルギーゼリーなど、なるべく胃にたまらないものをとりましょう。ホットミルク、ココアなど温かい飲み物もよい睡眠を誘うのでおすすめです。

Check Point　なるべく胃にたまらないものをとる

基本

夕食は就寝の3時間前にすませる

身につけたい習慣

夕食を早い時間にすませて早い時間に寝る。

→

どうしてもおなかがすいたときは

対策

就寝の1時間前までにスープなどのなるべく胃にたまらないものを選ぶ。

Q11

牛乳を飲むとおなかがゴロゴロします

A ゆっくり噛むように飲む。温めて飲む。

牛乳を飲むとおなかがゴロゴロするのは、牛乳に含まれる乳糖が原因です。日本人は大人になるにつれ、体内の乳糖を分解する酵素が減っていきます。おなかがゴロゴロするのは乳糖がうまく分解できないためで、アレルギーではありません。

まずは牛乳を噛んで飲むようにしてください。唾液の分泌が促されて、分解酵素の働きを補助することができます。また、冷たい牛乳はおなかを刺激して体を冷やすので、ホットミルクにして飲むのもよいでしょう。

それでもおなかがゴロゴロするという人は、カルシウムの摂取源としてヨーグルトやチーズを積極的に食べるとよいでしょう。これらにはゴロゴロの原因となる乳糖は含まれていません。

Check Point 牛乳を飲むとおなかがゴロゴロする人は

原因

牛乳に含まれる「乳糖」が原因

日本人は大人になるにつれ牛乳に含まれる乳糖という成分を分解する酵素が減っていくため。

牛乳を飲むときには

- 噛むようにして飲む
- 温めて飲むことで胃腸にやさしくなる

ヨーグルトやチーズをとる

- 乳糖がふくまれていない乳製品をとる

Q12 減量中に気をつけることは？

A 食事の量と回数を減らさず内容をよく見直す

アスリートが減量を行う際に注意しなければならないのが、競技パフォーマンスは保ったままで、体重だけを減らすこと。いいかえれば筋肉を落とさずに体脂肪を落とすということです。

減量をするときは食事のカロリーを減らしても、食事の回数や量は減らさないようにしてください。きちんと3食とることが大切です。

1食を抜くと体が飢餓状態と判断して、体に脂肪をため込もうとしてしまい、十分に減量の効果が現れなくなってしまうのです。

ごはんやたんぱく質を減らすのも競技パフォーマンスを落とすのでおすすめできません。精製された砂糖や油、食品に含まれる脂質を減らし、野菜・海藻・きのこ類の摂取量を増やすことで健康的に減量できます。

Check Point 健康的に減量するときの注意点

食事を抜かず、量を減らさない

食事を抜いたり減らしたりすると、体が脂肪をため込もうとするため、かえって逆効果。

精製された砂糖や油、分離した油などはNG

高カロリーなのに体に必要な栄養分が少ないものは極力さける。

ローカロリーでカサのある食品を上手に利用

野菜や海藻、きのこなどローカロリーの食品をたっぷりとって満腹感のある減量を。

Q13 骨密度って大切なの？

A よい骨をつくるとよい筋肉がつくようになります

骨は、骨を溶かす作業と骨をつくる作業をくり返しながら新しく生まれ変わっています。このときに質のよい栄養をとるとよい骨がつくられて、骨につく筋肉の質もよくなるという相乗効果が生まれます。

ところが、栄養が不足して骨を溶かす働きが強まると、骨密度が低下してしまい骨粗しょう症になり骨折しやすくなります。高齢者に多いと思われていますが、激しいスポーツを行う選手にもみられます。

これは、激しい運動でカルシウムなどの栄養素が大量に消費されてしまうため。牛乳や小魚、ほうれん草や大豆製品を十分にとって、日常的にカルシウムを補給することが重要です。骨づくりを助けるビタミンDもたっぷりとるようにしてください。

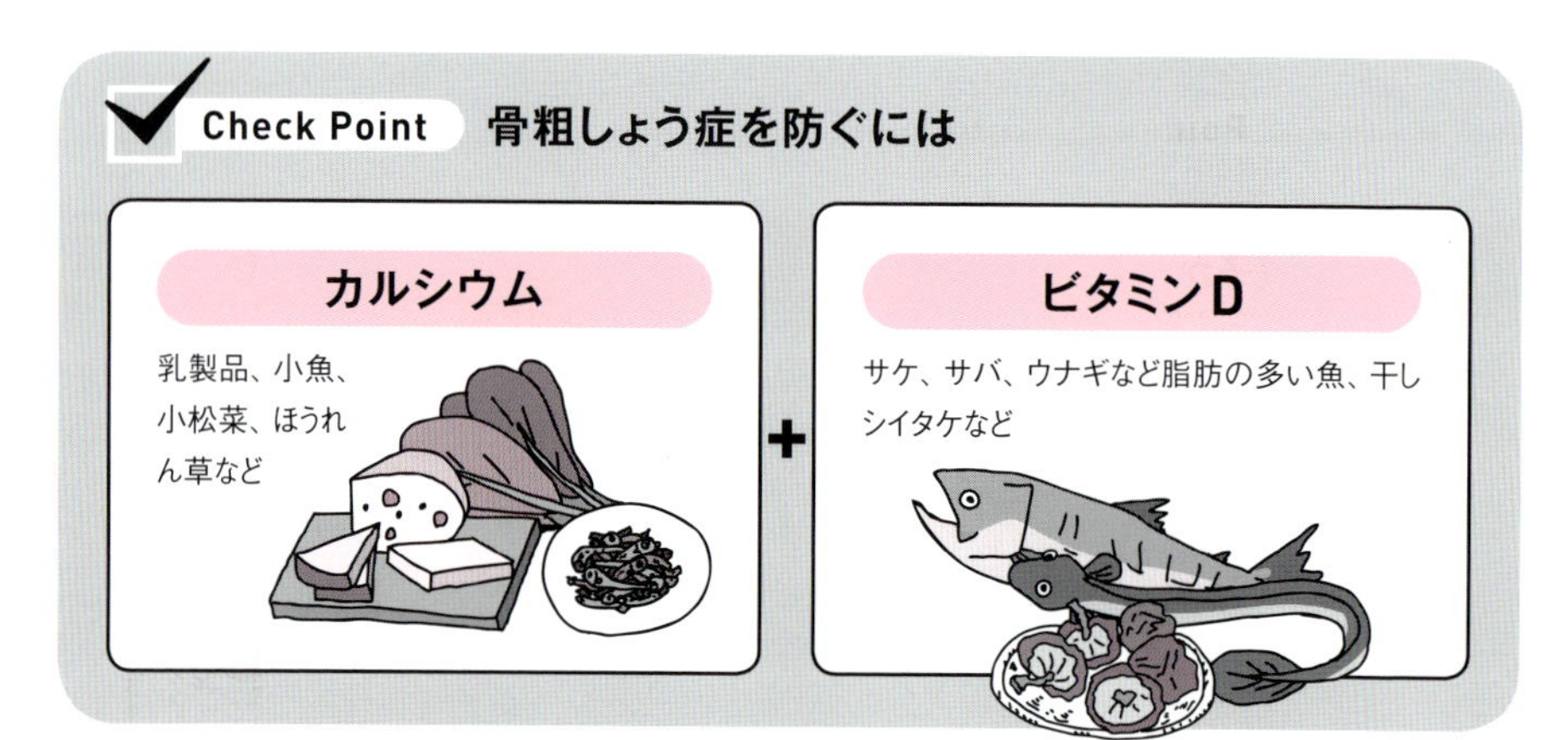

Q14 甘いものがやめられません

A たんぱく質不足も疑ってみてください

疲れたときにはケーキやお菓子など、甘いものが食べたくなる、とよくいいます。ところが、たんぱく質が足りないときも甘いものが食べたくなることがあるのです。糖質ばかりに目を向けず、たんぱく質不足も疑ってみてください。たんぱく質を補給することで、甘いものへの欲求がおさまることがあります。

甘いものを食べ過ぎるとそれを分解するためのビタミンB_1が大量に消費されます。ビタミンB_1が不足すると食欲不振や疲労感など、さまざまな症状が現れてきます。

どうしても甘いものが習慣になっていてやめられないときは、洋菓子ではなく脂質の少ない和菓子に切り替え、その後、ドライフルーツなどの自然の甘みのものに切り替えていきましょう。

Check Point 甘いものは原則NGです

洋菓子から和菓子党に

ケーキなどの洋菓子よりも脂肪の少ない和菓子に切り替える。

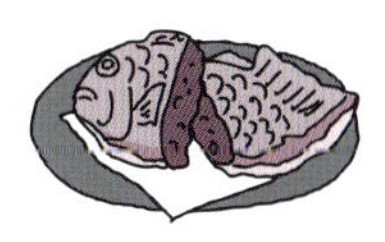

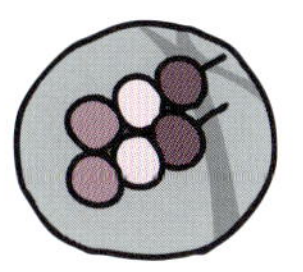

自然の甘さのあるものに

さつまいもや果物、ドライフルーツなど、自然の甘みのあるものに切り替える。

おわりに

体づくりが最も大切なジュニア世代のアスリート達に、限られた誌面と期間の中で、何をどう伝えるべきか。初めての監修という立場で本をまとめることは、私にとって少しハードルの高い仕事でした。それでも、この仕事を最後まで進められたのは、今まで時間をともにしてきた数多くのトップアスリートの姿がありました。彼等もスムーズにその立場にたどりついたわけではありませんが、その道のりの中で、段階が上がるごとに世界が広がり、同時に競技者としてだけではなく、人間性も素晴らしく成長していく姿を見たからです。だからこそ、ジュニアアスリートには元気で長く競技を続けてほしいと思います。オリンピック選手になれる人はほんの一握りです。そして、オリンピックがすべてではありません。

ただ、人それぞれ、花の大きさや色、咲く時期は異なっても、その人なりの花を満開に＝持っている能力を余すことなく表してほしいと願っています。それには、やはり競技を続けられる、丈夫で強い体が大切な要素のひとつとなります。今は栄養に関する情報が溢れているので迷うことも多いでしょう。この本には、現在、私が選手をサポートする際に用いていることだけをまとめました。言いかえれば、トップアスリート達も同じように考え、実行していることばかりです。「あれダメ、これダメ」という考え方だけではなく、「今、自分ががんばっている練習と、自分が食べているものが、明日からの自分の体をつくるんだ」、「自分の体をつくることができるのは自分だけなんだ」と、ワクワクと期待しながら取り組んでいけば、必ず結果はついてくると信じています。最後に、この本の出版に携わってくださった皆様、貴重な学びをご教授してくださった先生方、素晴らしい刺激と感動を味わわせてくださった指導者と選手の皆さんに心から御礼を申し上げます。ありがとうございました。

スポーツ栄養アドバイザー　**石川三知**

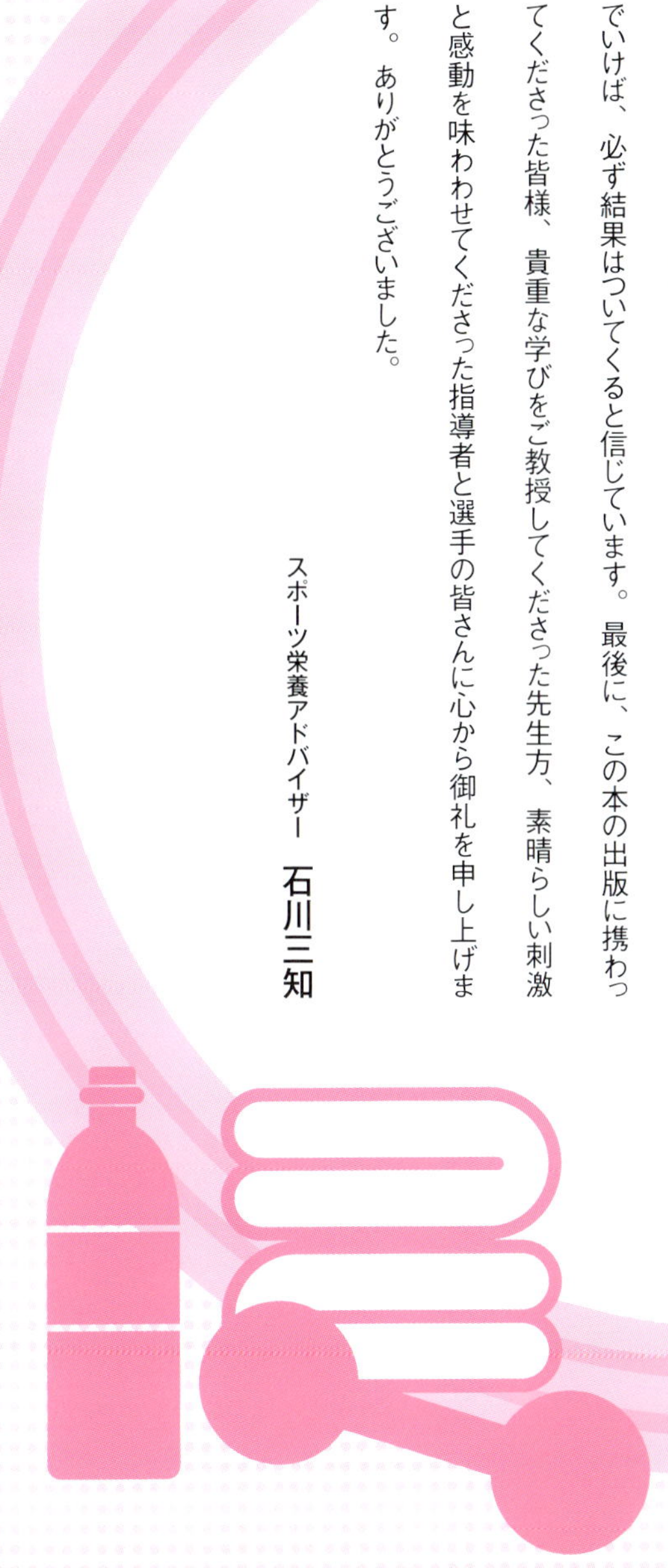

【監修】

スポーツ栄養アドバイザー
石川三知（いしかわ　みち）

Office LAC-U（オフィス・ラック・ユー）代表。管理栄養士。スポーツ栄養アドバイザー。

八王子スポーツ整形外科栄養管理部門スタッフ、中央大学商学部兼任講師。

浦和レッドダイヤモンズ、全日本バレーボールチーム、陸上男子・女子短距離日本代表チーム、スピードスケート／岡崎朋美選手、陸上短距離／末續慎吾選手、フィギュアスケート／荒川静香選手・髙橋大輔選手など、オリンピックメダリストを始めとする多くのアスリートの栄養サポートを行う。

著書には、『脳を操る食事』（ソフトバンククリエイティブ）、『身長を伸ばす栄養とレシピ』（学研プラス）、『決して太らない健康なカラダに!食の法則1:1:2のレシピ』（マガジンハウス）、『勝てるアスリートの身体を作る栄養学と食事術』（マイナビ出版）、『アサイーの食事術』（WAVE出版）、『スポーツをがんばる子ども勝てるカラダをつくる献立』（学研プラス）、『13歳までに子どもの将来は食事で決まる!健康すくすくレシピBOOK』（朝日新聞出版）、『新版　筋トレと栄養の科学』（新星出版社）などがある。

生涯学習のユーキャンでは、『スポーツ栄養プランナー講座』を監修。

デザイン	下里竜司　橘 奈緒　小堀由美子（アトリエゼロ）　佐々木麗奈
校正	岡野修也
編集	香川みゆき（フィジオ） フィグインク
イラスト	藤田裕美（ビューンワークス）

プロが教える
ジュニア選手の「勝負食」　新装改訂版
10代から始める　勝つ！カラダづくり

2021年 7 月30日　第1版・第1刷発行
2024年11月 5 日　第1版・第5刷発行

監修者　石川三知（いしかわ　みち）
発行者　株式会社メイツユニバーサルコンテンツ
代表者　大羽 孝志
〒102-0093東京都千代田区平河町一丁目1-8
印　刷　株式会社厚徳社

◎「メイツ出版」は当社の商標です。

ご意見・ご感想はホームページから承っております。
ウェブサイト https://www.mates-publishing.co.jp/

企画担当：折居かおる

※本書は2014年発行の『10代から始める勝つ！　カラダづくりジュニア選手の「勝負食」プロが教えるスポーツ栄養コツのコツ』を元に加筆・修正し、書名・装丁を変更し新たに発行したものです。
本書内の数値目標等は、厚生労働省「日本人の食事摂取基準（2020年版）を元にしています。

プロが教える
ジュニア選手の
「勝負食」
新装改訂版

10代から始める 勝つ!カラダづくり